NADA QUE PERDER 2

Edir Macedo

NADA QUE PERDER 2

MIS DESAFÍOS FRENTE A LO IMPOSIBLE

Planeta

Obra editada en colaboración con Editora Planeta do Brasil Ltda - Brasil

Título original: Nada a perder 2. Meus desafios diante do impossível

© 2013, Edir Macedo
Las citas bíblicas están tomadas de la Santa Biblia, versión Reina-Valera
Contemporánea (RVC)

© Traducción de Nayeli Ochoa Monroy

Preparación y revisión: Fernanda Umile
Revisión: Lizete Mercadante Machado
Diseño gráfico y diagramación: Thiago Sousa | all4type.com.br
Portada: Repertório Editorial
Imagen de portada: Demétrio Koch
Fotos de interior: Archivo Diário de São Paulo, Archivo Jornal do Brasil, Baboon
Filmes, Lumi Zúnica, Demétrio Koch, José Célio, Pauty Araújo, Ticiana Bitencourt,
Marcos A. Silva, Kátia Pedroza, Lucas Prado, Arlesson Sicsú, Luciana Botelho,
Getty images/Mike Theiss, archivo personal, Reprodução TV Record y Cedoc/
Unipro

Colaboración: Karla Dunder, Marcus Souza, Anne Campos, Vagner Silva y Leandro
Cipoloni
Agradecimientos: Clodomir Santos, Paulo Roberto Guimarães, Cristiane Cardoso,
Renato Cardoso, Viviane Freitas, Júlio Freitas, Marcus Vinicius Vieira, Romualdo
Panceiro, Guaracy Santos, Honorilton Gonçalves, Sérgio Corrêa, Sergio Motta,
Tânia Maduro, Solange Guimarães, Marcos Pereira, Adriana Guerra, Ivone de
Paula, Rita Cruz, Terezinha Rosa Silva, Mariléa Sales, Alba Maria y Sheila Tavolaro

Derechos reservados

© 2014, Editorial Planeta Mexicana, S.A. de C.V.
Bajo el sello editorial PLANETA M.R.
Avenida Presidente Masarik núm. 111, 2o. piso
Colonia Chapultepec Morales
C.P. 11570, México, D.F.
www.editorialplaneta.com.mx

Primera edición impresa en México: febrero de 2014
ISBN: 978-607-07-2004-8

Impreso en los talleres de Litográfica Ingramex, S.A. de C.V.
Centeno núm. 162-1, colonia Granjas Esmeralda, México, D.F.
Impreso en México – *Printed in Mexico*

Al Dios Espíritu Santo que, en el nombre de su Hijo Jesús, ha guiado mi vida.

A Ester, amada y fiel compañera.

ÍNDICE

Introducción   9

Capítulo 1: Yo era el milagro   13
Cielo oscuro   15
Despertar de una era   23
Pero no olvides   31
La última profecía   39
Lo inesperado   47

Capítulo 2: Una jornada de descubrimientos   57
Círculo gigante   59
Una mañana en el cementerio   71
Diploma de la vida   79
Cartas de socorro   89
Los demonios sí existen   99
Opresión en los ojos   109
Espíritu contra espíritu   117
Tan lejos, tan cerca   123

MATERNIDAD DIVINA 133

EL DESCENSO 143

LÁGRIMAS SIN RESPUESTA 151

ESTRELLAS EN EL DESIERTO 159

CAPÍTULO 3: EL DESAFÍO DE SOBREVIVIR 167

LA LIBERTAD EN EL PAPEL 169

UN NUEVO TIEMPO 185

¿QUIÉN SOPORTARÍA? 195

LA MASACRE 203

BOLSAS DE MENTIRAS 209

- NOVELA DE LA VIDA REAL

- INCITACIÓN

- UN TUMOR

- CÁLCULO DE LA VENGANZA

DUEÑO DE LA RAZÓN 227

MI MAYOR FUERZA 231

INTRODUCCIÓN

Lo confieso: cuando decidí registrar mis memorias, idealizamos un proyecto biográfico limitado. No imaginé que *Nada que perder* fuera a crecer tan rápido y alcanzar proporciones tan sorprendentes.

Las escenas de los lanzamientos del primer libro de la trilogía, reuniendo multitudes en Brasil y en todo el mundo, me conmovieron y llenaron mi interior de alegría y gratitud. Gratitud al pueblo fiel que acompaña nuestra trayectoria de renuncia en el Altar y, sobre todo, al Espíritu Santo, por todo lo que hizo, está realizando y aún va a realizar en nuestras vidas.

También aprendí más sobre los designios de Dios. Muchas situaciones vividas por mi esposa Ester y por mí, cuyos significados parecían no tener sentido en el pasado, hoy sirven de brújula para una cantidad sin fin de personas. El Espíritu de Dios nos condujo a momentos, hasta entonces incomprensibles, para que nuestra historia pudiese, en pequeña o gran medida, fortalecer, alentar, instruir, renovar, inspirar actitudes y salvar gente de tantos idiomas, razas, culturas y hemisferios diferentes.

Fueron 46 lanzamientos oficiales de *Nada que perder 1* alrededor del planeta. Cuatro continentes, 16 países, 41 ciudades. Casi 1 millón de personas pasaron por librerías de Nueva York a Río de Janeiro; de Tokio a Londres; de París a Caracas; de Manila a Johannesburgo y de Hong Kong a Manaos.

Durante su ciclo de lanzamientos, el libro fue recibido por autoridades de la Organización de las Naciones Unidas, en Estados Unidos, y por los más importantes vehículos de comunicación en todo el mundo. Con respeto y admiración de igual intensidad, fue acogido por las tribus aisladas de África y por reclusos en una cárcel de São Paulo —donde me propuse estar personalmente, estrechar la mano y orar por cada uno de ellos—. Fue un honor para mí.

La obra batió récords y conquistó los más diversos públicos en distintas partes del planeta. Sin embargo, toda esa repercusión positiva no me dio mayor recompensa y satisfacción que los millares de testimonios de lectores ayudados por *Nada que perder 1*. Presentar una luz al final del túnel a quien se considera perdido y compartir mis experiencias íntimas con el Altísimo, a fin de ayudar a otras personas, es la intención principal de este proyecto.

Ahora, pusimos en marcha la segunda parte de esta trilogía de fe. Vamos a entender lo que sucedió en Brasil. Vamos a comprender de qué es capaz la Palabra de Dios. Cómo una pequeña iglesia, funcionando en una exfuneraria, se multiplicó en millares de templos. De los cultos en el barrio de Abolición, en Río de Janeiro, a las predicaciones en grandes estadios de fútbol y en las mayores áreas de concentración a cielo abierto del país. El doloroso camino para la conquista de Rede Record, hoy una de las principales emisoras de televisión de Brasil y del mundo.

Un gran trabajo de investigación periodística ayudó a sustentar mis reflexiones y recuerdos. Durante varios días, Ester y yo estuvimos en aislamiento con el periodista y escritor Douglas Tavolaro, coautor de esta obra, para rescatar esa parte de nuestra vida. Fue un momento más de innumerables recuerdos compartidos con Douglas, a lo largo de los últimos 10 años, que nos proporcionaron las condiciones para redactar *Nada que perder 2*.

Como el primer volumen, este libro no es una simple retrospectiva. Hay una serie de amigos, compañeros de Iglesia, personas cercanas y anónimas ausentes de estas páginas. El libro no sigue un orden cronológico. La mayoría de los capítulos fueron escritos fuera de secuencia, de forma temática, para facilitar la lectura.

En *Nada que perder 2*, sabrá de qué manera fuimos injustamente atacados, cómo enfrentamos las presiones, calumnias y preconceptos. Cómo superé las amenazas indecentes. Le vamos a contar los detalles de una prueba que pocos conocen. Impaciencia que se convirtió en perseverancia. Persistencia que se convirtió en triunfo gracias a la fidelidad de la Palabra de Dios.

Gracias a quien participó de los lanzamientos y adquirió nuestro primer libro de memorias.

Que las historias de *Nada que perder 2* hablen directamente a su espíritu. ¡Feliz lectura!

CAPÍTULO 1

YO ERA
EL MILAGRO

Dios no libra del horno, pero libra del fuego.

CIELO OSCURO

El teléfono sonó en la madrugada. Desperté asustado. Cualquier llamada, imaginaba inmediatamente que surgiría un nuevo ataque, una nueva agresión de la prensa, un nuevo requerimiento judicial.

"Paz" era una palabra imprevista en aquel tiempo.

—Obispo, ellos no quieren explicaciones. Los propietarios no aceptarán nuestras condiciones. Tenemos pocos días para encontrar una salida —me alertó uno de nuestros abogados, en una llamada de pocos segundos.

Sobre la mesa de la casa, después de otras tantas reuniones agotadoras a lo largo del día, las cifras de la deuda por la compra de TV Record. La llamada marcaba el fin de una ronda de negociaciones, que avanzaron entrada la noche. La situación parecía un rompecabezas sin solución. "Dios mío, ¿cómo uno las piezas? ¿Qué hago? ¿Cómo escapo de este laberinto?" Mi mente luchaba para encontrar una salida.

Era el inicio de la década de 1990, más exactamente en las primeras semanas de febrero. Yo sabía que había dado un paso trascendental. Nuestro primer y verdadero gran desafío. O la Iglesia Universal del Reino de Dios daba un salto para transformar radicalmente su historia, o seríamos derrumbados por un golpe que nos hundiría. ¡Era todo o nada! Yo estaba al frente de todo eso.

Los números asustaban. Compramos Record por 45 millones de dólares, la mayor negociación nunca realizada por un medio de comunicación en Brasil hasta aquel período. Las cifras espantaron a especialistas. No era común que una empresa de radio y televisión fuera vendida por aquel valor en nuestro país. Fue el precio pagado por la oportunidad de una conquista inédita.

Desembolsé como anticipo seis millones de dólares. Los otros ocho millones, correspondientes a la segunda parte del enganche, debían ser pagados en 45 días. El restante, 31 millones, sería pagado a los antiguos dueños a lo largo de dos años. Todo en dólares y calculado cada mes conforme al tipo de cambio vigente.

La economía de Brasil vivía bajo la sombra del monstruo de la inflación, lo que dibujaba un futuro nebuloso. Hasta ahora no sé cómo lo logramos. No fue por caminos semejantes a los de cualquier negocio común. No hubo cálculos detallados ni estudios financieros. Simplemente, actué por la fe. Creí y punto.

Poco después del primer pago, las cuentas comenzaron a apretujar. El día del vencimiento del segundo plazo, aún no había dinero suficiente. Y peor: una cláusula del contrato decía que, en caso de atrasarme en el pago, perdería la compra de Record y todo el dinero ya pagado. Además de no saber cómo solucionar la deuda del enganche, pronto comenzarían los pagos que se traducirían en más sofoco.

Yo dependía de un milagro.

Aquella noche, llegué a casa deprimido. Cerré la puerta del cuarto y me senté en la cama, en silencio. Miré hacia el techo. A través de la ventana era posible divisar el cielo oscuro. Respiré profundamente. La Biblia estaba en la cabecera, cerca de la lámpara. Una incomodidad, una revuelta incendiaba mi interior. Pasé prácticamente la noche en vela. Pensé en el poder de Dios, en la capacidad de dar un giro inesperado, de revertir situaciones sin solución. Pensé en la grandeza del Espíritu Santo.

La fe inteligente, que siempre condujo mi vida y mi entrega en el altar, afloró. ¿Cómo creer en un Dios tan grande y vivir una vida tan miserable? Ese era el pensamiento que me guiaba y me impulsaba a desafíos considerados imposibles por cualquier ser humano. En cuanto a eso, soy radicalmente un inconforme. No se trata de méritos propios o de una supercapacidad cualquiera, se trata de creer en las promesas de Dios y hacer Su voluntad. Se trata de fe.

Era acerca de esa fe que yo predicaba y predico día y noche. Era eso lo que vivía y vivo intensamente. El profeta Josué oyó uno de los mensajes más significativos de toda la Biblia, el que más habla directamente conmigo y me anima en los momentos más preocupantes: "Mientras vivas, nadie podrá hacerte frente, porque yo estaré contigo como antes estuve con Moisés. No te dejaré ni te desampararé" (Josué 1:5).

Esa promesa, hasta hoy esparcida por las habitaciones de mi casa, me revelaba la certeza de descubrir una luz al final del túnel. La situación era de emergencia. Yo nunca le conté eso a nadie.

La mañana siguiente, desperté temprano y me dirigí a mi escritorio, en el décimo tercer piso del edificio de Radio Copacabana, en la avenida Visconde de Inhaúma, en el centro de Río de Janeiro. Estaba inquieto. Andaba de un lado a otro, sin parar, aprensivo. Me preguntaba cuál era el sentido de llegar hasta ahí y, de repente, perder todo de un momento a otro. No podía creer que Dios nos abandonaría en medio de una jornada tan arriesgada y desafiante. "¿Por qué? ¿Por qué, Dios mío?" Los pensamientos me causaban agonía. Había un peso dentro de mí, algo torturándome, una angustia profunda y sombría.

De repente, a la velocidad de un chasquido de dedos, me encerré solo en el baño. Era la hora de la decisión.

Doblé mis rodillas, coloqué mi cara en el piso y lloré. Me derrumbé con todo aquel peso sobre mis hombros. Había hecho todo lo que podía hacer y nada funcionó. Entonces, le dije a Dios:

—Mira, la compra de esa emisora ¡está en Tus manos! Si obtenemos Record, ¡muy bien! Si no, ¡paciencia! Si el Señor no me ayuda, ¡no haré nada más! ¡Yo me rindo!

Fue mi desahogo con Dios. Éramos solamente Él y yo en aquel momento. Mi indignación irradió una fuerza sobrenatural.

—¡Dios mío, no tengo nada que perder! ¡Tú, Señor, eres mi testigo! ¡Esa cosa no es para mí!

Mi oración fue así de rápida. Mi *amén* significó un punto final a una aflicción devastadora. Al levantarme, la congoja en mi pecho había desaparecido. Parecía que el cielo se había abierto. Mi interior estaba iluminado. Yo no sabía con seguridad qué iba a pasar, pero el Espíritu Santo había generado dentro de mí la certeza genuina de la respuesta.

Pero era necesario esperar. La solución no vendría de inmediato.

Mis palabras a Dios, desahogadas en el baño de aquel edificio, de hecho, representaban la más pura expresión de lo que siempre mentalicé. Nunca deseé nada para mí, nunca hubo un proyecto personal en marcha. En 1977, cuando fundé la Iglesia Universal, tenía la convicción de que el crecimiento del Evangelio dependía de un medio de comunicación masiva para llegar a Brasil y al mundo.

El Señor Jesús predicaba en la misma dirección del viento, casi siempre en lo alto de los montes, para que su voz se propagase lo más lejos posible. Él realizó la mayoría de los milagros en lugares públicos, ante la mirada de muchos testigos, justamente para que las señales divinas fueran esparcidas entre la población de Israel. Eran estrategias de comunicación para llegar a la máxima cantidad de gente.

Así razonaba. Las emisoras de Radio y TV, los medios masivos en general, ejercían un papel decisivo en la difusión del mensaje de fe que había conocido cuando era joven, en mis primeros pasos como cristiano. Era un proyecto idealizado para conquistar almas.

La sinceridad de mis intenciones me hacía creer, desde los primeros días de la iglesia, que Dios colocaría algo extraordinario en nuestras manos. Cuando ni siquiera pagábamos cinco minutos en la radio, yo repetía que tendríamos una gran emisora de televisión. Cierta noche, aún en los primeros días de la antes funeraria, en una reunión con 20 fieles como máximo, subí al altar dispuesto. Di un rápido "buenas noches" y fui directo al punto.

—Amigos, ¡pongan atención! ¿Ustedes sabían que nosotros vamos a tener una red de televisión? —dije ante el micrófono.

Las pocas personas sentadas en las bancas de madera se miraban mutuamente. Uno de los evangelistas, apoyado en la pared, dibujó una sonrisa un tanto irónica. En aquel tiempo, sudábamos hasta para pagar la renta al final de cada mes.

—¡Así es! Nosotros vamos a ser dueños de una gran emisora de televisión para predicar el Evangelio en el mundo entero. ¡No vamos a depender de nadie! ¡Créanlo! ¡Pueden estar seguros de eso!

No fue un acto de locura. Yo hablé poseído por una convicción, claro. Convicción absoluta en la grandeza del Dios en quien creo y en la fidelidad de Su palabra. Para mí, ese fragmento de la Biblia no es una promesa ilusoria: "El Señor de los ejércitos hizo este juramento: Todo se hará tal y como lo he pensado; todo se confirmará tal y como lo he decidido" (Isaías 14:24).

DESPERTAR DE UNA ERA

P oco tiempo después de la fundación de la Iglesia Universal, aún en 1978, uno de nuestros primeros fieles me buscó para decir que había logrado negociar 15 minutos de programación de radio para mí. Era doña María Veronese da Silva, fallecida, mujer del señor Albino, el mismo que ayudó a encontrar nuestro templo número uno.

Ella pagó por anticipado tres meses de programación, 9 mil cruceiros en la moneda de aquella época —exactamente el mismo valor de la renta del edificio de la antes funeraria—. En otras palabras, en pocos meses de existencia, aceptamos el desafío de doblar nuestros gastos mensuales. Radio Metropolitana de Río de Janeiro se convirtió, entonces, en nuestra primera acometida en un medio de comunicación.

—Evangelista Edir, el dueño de la radio aceptó la propuesta. Solo hay un detalle: él dijo que únicamente abrirá el espacio de 15 minutos al final de la noche y después de la "babá[1]" Ivete Brum. ¿Usted quiere? —me preguntó, recelosa, doña María.

En ese instante, vibré con la propuesta. Mi "sí" fue inmediato. Ivete Brum era una conocida *babalorixá*[2], jefe espiritual del *candomblé*[3], presentadora de un programa dirigido a practicantes de esa línea del espiritismo. Yo veía una oportunidad de oro. Heredando la audiencia del programa anterior, muchos oyentes, decepcionados con la creencia en los espíritus, ciertamente se enterarían de la existencia del trabajo de liberación espiritual de la Iglesia Universal.

Y así fue. Pasé a hablar la verdad sobre el papel de los espíritus, a exhibir historias reales e impresionantes de vidas transformadas y a desafiar el resultado de las promesas hechas por la *mãe de santo*. Ella conquistaba innumerables adeptos con la distribución de una "moneda de la felicidad" y, al saber eso, rápidamente convoqué a la iglesia y a los oyentes frustrados con el resultado de esas prácticas. Los cultos se llenaron. Las reuniones en la antes funeraria comenzaron a estar repletas, pasamos a ser conocidos como la "iglesia de los milagros", hecho que vamos a contar después en el capítulo "Círculo gigante".

Nuestro programa, que inicialmente comenzaba a las 22:45 horas, obtuvo otros 45 minutos a las 7 de la mañana. Después, logramos rentar Radio Metropolitana las 24 horas del día. En octubre de 1978, tan solo seis meses después de nuestra pionera acometida en radio, decidimos dar un tiro de mayor alcance: contratar tiempo en la televisión.

La oportunidad surgió en la extinta TV Tupi, que ya mostraba síntomas de la crisis financiera que llevaría a su quiebra. La emisora aún tenía una red de filiales capaz de atender nuestro proyecto de crecimiento. El programa, exhibido en todo Brasil, tenía solamente 30 minutos diarios y ganó el nombre de "O despertar da fe" [El despertar de la fe].

Financieramente, era precipitado avanzar sobre la televisión. Sin embargo, mi creencia y mi visión, gracias a la dirección del Espíritu Santo, me impulsaron a arriesgar. Millones de hogares brasileños ya tenían televisores en los últimos años de la década de 1970. El cambio de década fue marcado por la popularización de la televisión en el país.

"O despertar da fe" comenzaba a las 7:30 de la mañana, horario en el que aún no existía ninguna clase de programación en las demás emisoras. En aquel tiempo, la mayoría de los canales permanecía fuera del aire hasta el fin de la mañana. En otras palabras, éramos la única opción para quien encendía el televisor durante esa parte del día, lo que transformó nuestro programa en un gigantesco trampolín de público hacia los cultos de la Iglesia Universal.

La mano de Dios estaba allí.

Yo grababa personalmente los programas en el barrio de la Urca, en la sede de TV Tupi, canal 6, en Río de Janeiro. Todos los lunes siempre eran hechas cinco grabaciones de una sola vez. El escenario tenía de fondo el dibujo de dos manos unidas, en posición de oración, suavemente rodeadas por rayos solares.

Yo dirigía un polémico cuadro de entrevistas de 15 minutos, bautizado como "Panel de la verdad", seguido de una plegaria por el trabajador y por quien enfrentaba algún tipo de sufrimiento. Y, siguiendo la estrategia de la radio, divulgábamos con fuerza total los desafíos de fe de nuestro trabajo de liberación espiritual. Los testimonios eran escogidos con criterio riguroso, a partir de mi convivencia diaria con la iglesia. El lenguaje simple y directo llamaba la atención, pero, sobre todo, el deseo real de ayudar a quien se consideraba perdido conquistaba a una multitud de telespectadores.

Hoy no es así. Existen varios pastores evangélicos hablando de sus innumerables iglesias en diversos horarios de televisión. Gran parte llevada únicamente por un objetivo empresarial o por mera vanidad. Pura propaganda engañosa. El interés mayor es quitar fieles de otras iglesias que comenzaron de cero, diciendo que cuentan exclusivamente con la unción de Dios. En realidad, pocos están preocupados en alcanzar a los sufridos. Una avalancha de programas banales, sustentados en la emoción barata y apelativa, cuya última intención es socorrer a los desesperados.

Para aprovechar mejor el espacio en la televisión, grabé un disco de vinilo con canciones evangélicas en 1979, cuya ilustración de la portada era el símbolo de "O despertar da fe". De un lado del vinilo, tenía la canción "Oramos agora" [Oramos ahora] y, del otro, un clamor. La oración expresaba lo que diariamente suplico hasta el día de hoy. Uno de los fragmentos dice:

"Deus, Tu sabes quanto essas pessoas estão sofrendo, quanto elas vêm gemendo e padecendo. São pessoas que têm andado de um lado para outro. Seus pés já estão até feridos.

Há também aquele que a garganta não pode chamá-lo ou suplicar por um socorro. Só o que se ouve é um gemido, uma vez que já pediram tanto. Agora, só o que se ouve são sussurros.

Meu Deus, não deixe de nos ouvir neste momento. Pois a Tua palavra garante que tudo quanto pedirmos a Ti, em nome do Senhor Jesus Cristo, nós receberemos.

A Tua Palavra afirma que o Senhor tem prazer em nos atender. Senhor, tu tens prazer em nos atender, e nós temos fé em pedir[4]".

Durante años, la canción que acompañaba esa oración también sonó en nuestros programas de radio, pero fue en TV Tupi que se hizo conocida. Millares de familias brasileñas llegaron a la Universal por medio de ese simple vinilo.

Cuando Tupi quebró, en julio de 1980, entramos al aire en algunas emisoras con programación regional y, en las principales capitales brasileñas, a través de Rede Bandeirantes. En 1981, ya eran más de 20 estados recibiendo la señal de nuestro programa. Desde entonces hasta los días actuales, jamás abandonamos la televisión como uno de los medios para predicar el Evangelio en atención a los necesitados. "O despertar da fe" marcó época y se volvió una columna notable en el trayecto de realizaciones de la Iglesia Universal.

En el edificio de Radio Copacabana, vivía dentro de ese túnel del tiempo frente al desafío de pagar las cuentas de la compra de TV Record. Mi oración, breve e indignada, en el baño de las oficinas, me fortaleció para enfrentar la batalla por la adquisición de una de las principales emisoras de televisión del país. Tras mis palabras indignadas a Dios, mi espíritu estaba fuerte, pero aún no lograba ver una salida para quitar las deudas astronómicas.

Brasil había acabado de decidir en las urnas la primera elección presidencial tras la dictadura militar y aguardaba con ansias la toma de posesión y los posibles cambios políticos y económicos del nuevo gobierno. La inflación galopante hacía multiplicarse nuestras cuentas de la mañana a la tarde del mismo día. Tenía recelo solo de pensar en revisar a cuánto se cotizaba el dólar. Los bancos ya no daban crédito. No había a quién recurrir.

Yo confiaba apenas en el poder de la fe.

Era esa fuerza la que me hacía creer en un milagro capaz de impedir que perdiera la televisora Record. La situación se volvía, cada momento, más insostenible; pero no desistiría.

PERO NO OLVIDES

Los años 1980 avanzaron con el aumento de la cantidad de horarios contratados en radio y televisión; pero sin aún concretar el antiguo objetivo de ser el dueño de nuestro propio medio de comunicación. Hasta que surgió la oportunidad de la primera adquisición: Radio Copacabana, una de las emisoras AM más populares y famosas de Río de Janeiro en aquel período.

Para poder cubrir el valor de la compra, vendí una casa que recientemente había construido en Petrópolis. Mudarnos a la sierra fluminense representó una fase particular de convivencia para nuestra familia. Era un lugar agradable y cálido, donde disfruté momentos especiales.

Al salir de la reunión en el barrio de Abolición, con el sol de mediodía, enfrentaba una temperatura de 30 °C y, al pie de la sierra, la temperatura era inferior a los 20 °C. La neblina entraba en las habitaciones de la casa. Después de mucho tiempo viviendo en la Zona Norte de Río de

Janeiro, en departamentos minúsculos y sin tiempo libre, pude, finalmente, dar a mi esposa Ester y a mis hijas un poco de confort. Sin embargo, fue por tiempo limitado. La venta de nuestra casa se volvió crucial para la compra de Copacabana.

Guardo también un amargo recuerdo de, en Petrópolis, luchar contra las crisis de asma de Cristiane, mi hija mayor, que fueron completamente vencidas a lo largo de los años. Muchas noches, yo dormí en el piso para que ella se acostara abrazada a su mamá.

Ester, por otra parte, conducía pacientemente durante una hora desde la Zona Norte de Río hasta nuestra casa después de la culminación de los cultos, casi siempre de madrugada, sin nunca haber hecho siquiera una sola reclamación. Yo salía agotado después de un día entero de reuniones y ella siempre transmitía paciencia y serenidad.

También sobre Petrópolis cargo el doloroso recuerdo de un terrible accidente automovilístico que casi me mató. Fue una escena terrible. Eran más de las seis de la mañana cuando me preparaba para salir de casa rumbo a Radio Metropolitana. La calle donde vivía, en lo alto de una montaña, estaba en una de las mayores pendientes del barrio. El conductor había acabado de llenar el tanque de gasolina de un automóvil recién adquirido.

Al sentarme en el lugar del pasajero, recibí un fuerte golpe. El conductor, aún no familiarizado con las transmisiones del nuevo vehículo, aceleró ladera abajo. El automóvil volcó varias veces en el descenso descontrolado del monte. Salí disparado sin entender hasta hoy cómo ocurrió, y me desmayé.

El conductor entró en casa corriendo y dijo a Ester que yo estaba muerto. Minutos después, desperté mareado. No podía levantarme solo. Al recobrar la conciencia, me topé con la imagen del combustible derramándose del tanque del automóvil. Fui socorrido rápidamente y llevado al área de emergencias del hospital, donde estuve internado algunos días. Sufrí fracturas graves. Mi cabeza se hinchó, un brazo estaba roto y el otro estaba gravemente luxado. Tuve heridas en todo el cuerpo.

Los ángeles de Dios me protegieron. El Señor Jesús me libró de la muerte.

Inmediatamente después, nos mudamos a un inmueble en la Barra da Tijuca, por estar más cerca de las oficinas y de los estudios de Radio Copacabana. La emisora exigía mi frecuente presencia en sus primeros años de funcionamiento. Y yo veía esa adquisición como una meta alcanzada para la predicación del Evangelio.

En julio de 1984, hice el anuncio a la iglesia en todo el país, en un artículo publicado en nuestro periódico interno, titulado "A Rádio Copacabana é nossa!" [¡Radio Copacabana es nuestra!]. El título hacía referencia a la célebre banda sonora conmemorativa de la conquista de la Copa del Mundo en 1958, por la Selección Brasileña de Fútbol. Abajo, seleccioné un poco de ese texto firmado por mí y festejado por todos nosotros más que si fuera un trofeo de Copa Mundial:

"Fueron muchas oraciones, súplicas y ayunos. Vivimos con confianza momentos de expectativa.

¡No desistimos! ¡No desanimamos! ¡Ni por un momento nos debilitamos!

Y, firmes, continuamos caminando, paso a paso junto a Él, confiando en que alcanzaríamos el objetivo soñado: la compra de una emisora de radio, donde pudiésemos todo el tiempo estar ejercitando nuestra fe en la Obra del Señor.

Queríamos implantar el bendito nombre de Su Hijo en los corazones de los oyentes más distantes. ¡Y el bondadoso Dios oyó y atendió nuestras oraciones y concedió a la Iglesia Universal el privilegio y la gracia de ver el sueño de todos realizado!

Para eso, estamos redoblando esfuerzos, inclusive extendiendo nuestra jornada de trabajo. Todos los miembros, pastores y el equipo de trabajo de la radio están unidos, dando, cada uno, indistintamente, su porcentaje de colaboración.

¡Radio Copacabana es nuestra!
Obispo Macedo"

Las palabras salieron del papel. Durante los primeros años, presenté personalmente la programación de la madrugada. Pasaba horas atendiendo radioescuchas con los más varios tipos de aflicción. De lunes a viernes, mi turno comenzaba a la medianoche y terminaba a las cuatro de la mañana. A lo largo del día, hacía cultos y, muchas veces, preparaba la presentación de otro programa de mañana o tarde en la radio. Ester me acompañaba siempre.

Yo vivía agotado, pero el socorro espiritual proporcionado en las madrugadas salvó a mucha gente del infierno. No faltan historias de miembros fieles y hasta pastores de la Iglesia Universal hoy rescatados del sufrimiento por las ondas de Radio Copacabana.

Esa fuerza se multiplicó en todo Brasil con el pasar de los años. Fueron alquiladas y adquiridas nuevas emisoras de radio, de norte a sur del país. El alcance de ese tipo de medio ayudó a dar nuestro primer arranque. Por ser más accesible a la población en general y a las comunidades más alejadas de los grandes centros, especialmente en aquella época, la radio tuvo un papel decisivo para la divulgación de la Palabra de Dios dentro del país.

Hoy, son centenares de horas de programaciones diarias en diferentes emisoras compuestas por la Rede Aleluia. Insisto, siempre, en presentar mi programa en vivo para Brasil, todos los días, a las 23 horas. Cuando estoy de viajes misioneros, dedico un tiempo del día para grabar mi mensaje. Eso es sagrado. Cargo conmigo un aparato que me permite enviar la grabación, vía Internet, desde cualquier parte del mundo.

Me deleita dedicarme a la programación de la radio desde tiempos remotos. Imagino cuántos millones de personas fueron salvadas estando al borde del abismo y recibieron un último suspiro para transformar sus vidas, muchas veces al oír una palabra. Una simple palabra. Muchas fueron socorridas estando desesperadas en medio de un día fatídico o en la soledad angustiante de la oscuridad.

Me conmuevo al pensar en eso. Dios nos dio el privilegio de ser usados para ayudar a millares de personas deprimidas, con deseos de suicidio, enfermas, adictas y víctimas de otros tantos males mientras la mayoría de la población duerme. Extender la mano a quien lo necesita y acercarla a Dios: "Porque así ha dicho el Alto y Sublime, el que habita la eternidad, y cuyo nombre es santo: Yo habito en las alturas, en santidad, pero también doy vida a los de espíritu humilde y quebrantado, y a los quebrantados de corazón" (Isaías 57:15).

Este pasaje bíblico habla conmigo tan profundamente, que mis correos electrónicos lo llevan como firma. Antes del mismo, me aseguro de resaltar un recordatorio con la frase: "Pero no olvides". Más allá de un mensaje de autoayuda, esas palabras expresan qué me motiva, qué me da la razón para existir.

LA ÚLTIMA PROFECÍA

La epopeya de la compra de Record, que a la llegada de los años 1990 me traía dolores y aprensiones jamás imaginadas, con el volumen de cuentas por encima de nuestra capacidad financiera, comenzó con una llamada telefónica cuando yo ya me había mudado a Estados Unidos para predicar el Evangelio.

—Obispo, Rede Record está a la venta. Uno de nuestros abogados llamó y me pasó la información, de primera mano, para nosotros —me contó, entusiasmado, Paulo Roberto Guimarães, uno de los obispos más antiguos y, entonces, responsable de la Iglesia Universal en Brasil.

—La oportunidad parece excelente, Paulo. Veamos eso inmediatamente —respondí, convencido—. Necesitamos ser cautelosos y hacer las cosas bien para no perder esa oportunidad.

Al colgar el teléfono, no salían de mi cabeza los significados de aquel momento único. ¿Qué representaría realmente la adquisición de un canal de comunicación con la marca y la tradición de TV Record? Como siempre, recordé mi encuentro con Dios. No era un proyecto para alardear. El Espíritu Santo sondeaba mi mente y conocía mis intenciones. Había una fe sincera e inconformista dentro de mí.

Mi inconformidad nacía al ver millones de brasileños lejos de Dios, sedientos de salvación eterna. Ya imaginaba qué significaría una emisora de televisión para los planes de Dios. Cuántos rescatados, cuántas vidas recuperadas, cuántos milagros. La Obra de Dios jamás sería la misma.

Recordé también un hecho emblemático ocurrido más de un año antes, precisamente el día 27 de marzo de 1988. Fue la última vez que determiné en público que seríamos propietarios de una gran emisora de televisión. Y el público era grande: fue en pleno Estadio Maracaná durante la inauguración de TV Río, canal 13, comprada en esa época por el pastor Nilson do Amaral Fanini, ex presidente de la Alianza Bautista Mundial.

Para marcar el inicio de la nueva programación de la emisora, fue organizada una fiesta con la presencia de pastores de varias denominaciones y diversas autoridades políticas. Solo que había un problema: el estadio no podía estar vacío.

—Obispo Edir, necesito un gran favor. ¿Usted podría ayudarme a llenar las gradas del Maracaná? —me preguntó Fanini, por teléfono—. Usted sabe cómo es. Solo la Iglesia Universal logra llenar el Maracaná —completó.

Recibí la llamada con cierta desconfianza, pero creí en las palabras de él.

—Vamos a transmitir toda la fiesta en vivo. Será una solemnidad muy bonita, obispo Edir. Necesitamos mostrar la fuerza de la comunidad evangélica —completó el pastor bautista.

—Está bien. Necesito apoyo para hacer las invitaciones para nuestro pueblo —respondí uniendo inmediatamente una pregunta:

—¿Y cómo será esa ceremonia, pastor Fanini?

—Primero, vamos a presentar un *show* y anunciar la nueva programación y, enseguida, llamar al ministro de Comunicaciones para hacer la inauguración oficial de la nueva TV Río. Justo después, le pasaré el micrófono a usted para que dé su sermón y cerraremos la transmisión en vivo.

El día marcado, más de 40.000 personas ocuparon las gradas y sillas cercanas a la cancha, donde fue armado el gran palco de la ceremonia. La abrumadora mayoría del público, obviamente, fue formada por miembros y obreros de la Iglesia Universal de todo el Estado de Río. El evento inició con la oración de otros pastores y *shows* de música *gospel*.

Yo estaba sentado en el palco, al lado de Ester, en una de las esquinas al fondo. Frente a mí, conferencistas evangélicos de diferentes agrupaciones y lugares, incluso algunos de Estados Unidos. De repente, comenzó la presentación de grupos de danza *candomblé* y *umbanda*. Hombres y mujeres, todos vestidos de blanco, danzaban y giraban al son de los tambores. Yo miré con ojos desorbitados. Al pueblo de la Iglesia Universal le pareció extraño. Un gran abucheo fue aumentando de volumen alrededor del Maracaná. No logré contener la risa.

Fanini prosiguió la ceremonia presentando al público los directivos de su emisora y elogiando demasiado a Walter

Clark, famoso ejecutivo de televisión, responsable por la programación de TV Río —él presentaría su renuncia días después por desentenderse con Fanini—. Enseguida, anunció la presencia del entonces ministro de Comunicaciones, Antonio Carlos Magalhães, quien llegó en helicóptero y atravesó a pie el césped camino al palco. En el centro del campo, escuchó el himno nacional ejecutado por la banda del batallón de la infantería de marina.

Me dije a mí mismo: "Es mi oportunidad. Vamos a orar y transmitir fe. ¡Vamos a sacudir este estadio!". Contaba los segundos para terminar tal presentación burocrática. El ministro concluyó su discurso y, sorprendentemente, traicionando el acuerdo, Fanini llamó a otro grupo musical. La multitud comenzó a decir nuestro nombre, y nada. Nuevas oraciones fueron realizadas por otros pastores. En el espectáculo todavía hubo una bandada de palomas y lluvia de pétalos de rosas. Y yo continuaba sentado al fondo, al lado de Ester, como desde el inicio del evento.

Después de dos horas esperando, finalmente fui llamado al centro del escenario. Fanini agradeció mi presencia, la de los conferencistas evangélicos, diputados y concejales y, créalo, anunció el fin de la transmisión. Solamente cuando el programa salió del aire, fui llamado para comenzar mi participación. Pronto me enfurecí. Tomé el micrófono y, mientras todos bajaban del escenario y se retiraban por el túnel del campo, irrumpí con el estribillo de una canción junto a todo el estadio:

—Mi fe es poderosa por la gracia de Jesús. Y el demonio va saliendo… ¡porque no resiste luz! ¡Sale! ¡Sale! ¡Sale!

Las tribunas se agitaron. Comencé a predicar sobre la calidad de creencia que provoca la manifestación de Dios. Y, en un ímpetu de fe, aún dominado por la indignación de haber sido víctima de un montaje desleal, afirmé que aquella emisora de TV sería nuestra. Dije categóricamente que Dios la colocaría en nuestras manos.

A pesar de todo el descontento sufrido, meses más tarde, perdoné al pastor Fanini. Cuatro años después de aquel día en el Maracaná, en febrero de 1993, TV Río fue adquirida por miembros de la Iglesia Universal, hoy trasformada en TV Record de Río de Janeiro, una de las principales emisoras que conforman Rede Record.

Lo inesperado

Los días siguientes a la llamada de Paulo Roberto Guimarães a mi casa, en Nueva York, comprendí la oportunidad de ver cumplida la profecía dicha a lo largo de mi ministerio como predicador de la Palabra de Dios. Para no perder la oportunidad de comprar Record, era necesario actuar con inteligencia y rapidez.

Sumergida en una grave crisis financiera, la emisora estaba a un paso de quebrar. En esa época, los dueños, el presentador Silvio Santos y la familia Machado de Carvalho, administraban Record con muchas deudas. El desfalco era enorme: la empresa facturaba 2,5 millones de dólares por año y acumulaba 20 millones de dólares en cuentas por pagar. Record no sobreviviría al cierre del balance del año 1989. Quien nos revelaba esos datos era Demerval Gonçalves, en esa época hombre de confianza del Grupo Silvio Santos y responsable de su venta, hoy ejecutivo de Rede Record.

Todo el tiempo me informaban sobre el surgimiento de nuevos interesados en la televisora. Varios grupos de comunicación de Brasil y del exterior disputaban Record. La lista era grande, pero yo confiaba en el deseo nacido dentro de mí, como afirmó el apóstol Pablo: "Porque Dios es el que produce en ustedes lo mismo el querer como el hacer, por su buena voluntad" (Filipenses 2:13).

Volví apresuradamente de Nueva York a Brasil y de inmediato convoqué al pastor y exdiputado federal Laprovita Viera a una reunión, el mismo que tres años después habría de acompañarme el día de mi detención.

—Me gustaría que usted fuera a São Paulo y comprara Record. Ánimo, vaya y cierre el negocio, Vieira —pedí secamente—. ¿Puedo contar con usted?

Él pareció asustado.

—¿Comprar Record?... Record, ¿verdad?... Está bien... Obispo, puede contar conmigo —me respondió con un tono de voz de quien había acabado de oír algo absurdo.

En la reunión con Demerval Gonçalves, en la antigua sede de la emisora, en la avenida Miruna, en el barrio paulista de Moema, Vieira se presentó como interesado en la compra de Record. Le pedí que fuera enfático:

—Quiero comprar la emisora y eso es todo —dijo Vieira a Demerval.

Las negociaciones progresaron rápidamente. La propuesta agradó a los socios de Record, quienes acordaron una reunión en la casa de Silvio Santos. Fue la primera de una incansable ronda de discusiones. Yo sabía que, si me presentaba inmediatamente, el precio de la negociación podía aumentar o posiblemente sería deshecha por prejuicios. Todo podía venirse abajo.

Por eso, Vieira acudía a todas las reuniones con una caja de cigarros a la vista, en el bolsillo de su camisa. Nadie pensó que yo estaba por detrás de una compra tan importante. Yo tenía en mente aparecer solamente en un caso extremo.

Y esa situación extrema surgió después de cerrar el trato, cuando no conseguimos recursos para pagar la segunda mitad de la entrada. Solo había una solución: renegociar la deuda con Silvio Santos. El encuentro tuvo lugar en la antigua oficina del presentador, en la calle Jaceguai, en Bela Vista, São Paulo.

Estaban juntos, Silvio, su socio y Vieira, además de los abogados de ambas partes. En medio de la reunión, un callejón sin salida. Todos discutían nuevos plazos y valores, sin llegar a un acuerdo. Fue, entonces, que me levanté de uno de los sofás de la oficina y dije:

—Dejemos de discutir. Soy el obispo Macedo. Yo estoy al frente de la compra de Record. Vamos de una vez por todas a resolver esto. ¿En qué quedamos? —pregunté.

El representante de Silvio Santos dijo el precio.

Con fe, respondí:

—No hay problema. ¡Trato hecho!

Estaba impaciente con el avance del acuerdo. Había ido disfrazado como el chofer de Vieira para tomar una decisión definitiva en caso de que el asunto no avanzara. Creí que si me identificaba resolvería el problema. Siempre en espíritu de oración, confiando que Dios estaba totalmente al frente de todo.

Aún así, no hubo acuerdo. En esa misma semana, Silvio Santos afirmó estar arrepentido, pero estaba obligado legalmente por el adelanto depositado por Vieira y presionado para eliminar las deudas de Record.

Fue cuando los abogados me llamaron estando en casa, durante la madrugada, con una respuesta negativa para un nuevo pedido de renegociación, contado al inicio de este libro. Al día siguiente, al salir de la oficina de Radio Copacabana, donde doblé mis rodillas para una decisión con Dios, procuré seguir mi rutina en la iglesia. Sin embargo, era imposible. La calculadora era símbolo de pavor.

Decidí buscar a Silvio Santos personalmente para renegociar la deuda. Cuando recibió el recado, él fue severo una vez más. No aceptó, de inicio, y dijo que, si fuera necesario, devolvería el dinero ya pagado para tener Record de vuelta. La conversación se extendió durante horas.

—Si tengo que devolver el dinero, lo devuelvo y me quedo con la emisora —me dijo Silvio.

—No quiero la devolución del dinero. No quiero su dinero. Quiero pagar la deuda. Quiero renegociar el restante del pago —respondí.

Nuestras condiciones eran cada vez más austeras. La situación económica era, día tras día, más y más difícil. La prensa ya publicaba que la venta de Record estaba suspendida por faltar el pago del contrato de compraventa, previsto en la carta de intención firmada por Vieira. Y que la entonces dirección de la empresa solo enviaría la documentación de transferencia al Ministerio de Comunicaciones después de que el negocio fuera oficializado, con el pago de las cantidades acordadas.

Una guerra espiritual se levantó. Cuando mi participación en la compra de Record se dio a conocer públicamente, los ataques se intensificaron. En los noticiarios dominaba un tono de discriminación. Había una tentativa clara de asfixiarme con procesos e intimidaciones tras intimidaciones. Comenzaron a hurgar en mi vida, en mi familia. Sin embargo, nada era comprobado.

El día que decidí comprar Record, no imaginé que viviría un infierno. Los ataques surgieron de todas partes. Parecía un complot para impedir que lograra algo mayor que en el futuro transformaría nuestra historia. Era una batalla espiritual para impedir que millones de personas fueran rescatadas de las tinieblas.

Pero ¿cómo pagar tantas deudas? ¿De dónde vendría nuestro socorro? ¿Quién nos protegería? La oración y el llanto pasaron a ser mis expresiones diarias. Ni Ester conocía con seguridad el tamaño del hoyo en mi pecho.

En algunos cultos, apenas conseguía predicar. Subía al altar y solamente derramaba lágrimas ante Dios. Casi no tenía fuerzas para clamar. Pasaba minutos, paralizado, mirando el tamaño de las cuentas. Recurría a la Biblia en busca de una solución. "En sus calles, el Señor es justo y no hace iniquidad; por la mañana saca a luz su juicio, y nunca faltará" (Sofonías 3:5).

Él no fallaría. Yo necesitaba encontrar la salida. La situación era extrema. La oración en Radio Copacabana. El desahogo con Dios. La espera interminable. Las profecías, finalmente, ¿se cumplirían?

Un día después de la toma de protesta del presidente Fernando Collor de Mello, un viernes, a la mitad de la tarde, exactamente el día 15 de marzo de 1990, vi el pequeño rayo de una luz gigante. El servicio de noticias en la televisión anunciaba, en vivo, el lanzamiento del Plan Collor. Fue el más ambicioso y drástico paquete económico creado para vencer la inflación. Un plan tan radical en sus medidas, y tan doloroso en el bolsillo de quien ostentaba algún dinero guardado en el banco.

Quien tenía un saldo superior a 50.000 nuevos cruzados, equivalente hoy a cerca de 4 mil reales, depositado en cuentas de ahorros y en cuentas corrientes, tuvo confiscado su dinero. Fue la parte más ofensiva de los cambios en la economía, que no produjeron ningún resultado en el futuro, a no ser tragedias diarias a la población. De la noche a la mañana, millones de brasileños se quedaron sin dinero incluso para tratar enfermedades. Las consecuencias para muchas familias fueron irreparables, con muertes, desempleos y hasta casos de suicidios.

El paquete económico, terrorífico para la mayoría de los brasileños, se convirtió en un alivio para mí. Obviamente lamento el sufrimiento y la pérdida de cada víctima del Plan Collor. Yo también me indigné con la tortura sufrida por las personas, pero todo ese alboroto significó para mí algo diferente.

Silvio Santos y su socio tenían incluso menos condiciones para pagar las deudas de Record, lo que los obligó a un acuerdo urgente. Los acreedores amenazaban con pedir la quiebra de la empresa. El dinero estaba detenido legalmente y solo sería liberado con el contrato actual.

Días después del cierre de ese acuerdo, otra noticia sorprendente: los abogados me informaron de que el Plan Collor había provocado una caída en el valor de los pagos debido a la brutal devaluación del dólar. Los acuerdos de compra de Record, basados en la cotización de la moneda extranjera, cayeron. Las deudas, antes exorbitantes, se desplomaron aquel día.

Parecía increíble. Rehíce las cuentas. Elevé mi pensamiento a Dios. Agradecí.

Comenzamos a pagar las cuentas con una enorme facilidad, al punto de liquidar tres pagos en un solo mes. Antes de 1992, nuestra deuda estaba completamente saldada. Record era nuestra.

¿Cómo explicar la magnitud de ese giro inesperado? ¿Cómo ocurrió? Cada uno puede creer en lo que desee. Yo tengo certeza absoluta de que fue la acción de Dios.

Y hoy, más importante que ser propietarios del segundo mayor grupo de comunicación en Brasil y uno de los mayores del mundo, fue la experiencia espiritual adquirida en un camino de tantas luchas espinosas. El Espíritu Santo nos guio en toda la travesía, por más debilidad que imaginé sentir en aquel momento. Mientras existiera alguna gota de esperanza de parte de los hombres, yo no estaría a salvo del precipicio. El milagro comenzó dentro de mí.

La fe volvió real lo irreal.

Lo imposible ocurrió.

CAPÍTULO 2

UNA JORNADA
DE DESCUBRIMIENTOS

"Y a Aquel que es poderoso para hacer que todas las cosas excedan a lo que pedimos o entendemos, según el poder que actúa en nosotros"

(Efesios 3:20)

Círculo gigante

Los ojos de todos seguían el movimiento de mis manos. Entré en silencio y fui directamente a la pizarra. Era un aula magna de la recién inaugurada FATURD, la Facultad de Teología de la Iglesia Universal, que funcionaba en un antiguo edificio en la Zona Norte de Río de Janeiro, donde comenzó todo.

Después de saludar, dibujé un punto minúsculo con la tiza blanca. La curiosidad de los alumnos aumentó. Ellos se miraron mutuamente con una expresión de duda. Tomé nuevamente la tiza y dibujé un círculo grande alrededor del pequeño punto.

—¿Ustedes saben qué es esto? —pregunté, deseando intrigar. Nadie se arriesgó a responder. Después dije:

—Esta es la Iglesia Universal. Hoy somos un puntito, pero mañana seremos este gran círculo. Pueden creer en mis palabras. ¡Así será!

Y di inicio a una lección sobre la importancia de creer en lo imposible, por encima de dogmas y doctrinas religiosas, como enseña la Palabra de Dios. Así como ocurrió en la historia de la adquisición de emisoras de televisión y radio, la expansión fuera de lo común de la Iglesia Universal del Reino de Dios por Brasil y el mundo fue determinada cuando apenas había 20 personas en el quiosco o en los cultos de la antes funeraria.

Fe, según la Biblia, es algo que impulsa al razonamiento: "Ahora bien, tener fe es estar seguro de lo que se espera; es estar convencido de lo que no se ve" (Hebreos 11:1). Sabía lo que quería y que sería únicamente por la confianza sin restricciones en el mismo Dios de Abraham, Moisés y Josué. No era arrogancia. Yo siempre perseveré en el cumplimiento de las promesas bíblicas.

—Nuestra Iglesia será grande, porque Dios es grande. Yo no acepto creer en un Dios tan grande y poderoso y ver su obra marchita, amarrada, sin crecimiento. Este trabajo llegará lejos —predicaba, en reuniones con un público que podía contarse con los dedos de las manos.

Desde el altar, yo veía nueve, diez fieles y determinaba que predicaría para millones de personas en todo el planeta. Era firme en mis convicciones también con los primeros pastores. Cierta mañana de lunes, reuní a los principales responsables de la Iglesia en el segundo piso del templo de Abolición y, después de nuestra meditación en el Evangelio, fui categórico. En aquel tiempo, éramos un grupo muy reducido.

—¿Saben?, es muy bueno estar juntos. Ustedes son nuestra familia. Por eso, resultan placenteros estos momentos de encuentro y unión —afirmé, feliz.

Enseguida, concluí:

—Es una lástima que en poco tiempo las cosas ya no serán así. La Iglesia Universal va a crecer tanto que apenas lograremos hablarnos o encontrarnos. Este tipo de encuentros será poco frecuente.

Muchos de esos pastores, de hecho, ahora esparcidos por varios continentes, guardan hasta hoy las palabras de esa mañana. Esos mensajes idealistas y de osadía no fueron expresados por virtud propia o una capacidad superior, sino porque mi inteligencia no me permitía creer en el Creador de los cielos y de la Tierra sin tener una respuesta del tamaño de tal grandeza.

Yo no soy un súper humano.

Ese pensamiento producía dentro de mí un espíritu de indignación que me acompaña día y noche y que va a seguir conmigo hasta el último respiro. Eso está en mi sangre.

Yo procuraba transmitir eso a todos a mi alrededor, de manera clara y enfática. Esa era la fe que me había hecho renunciar, contra todo y contra todos, a la seguridad y a los beneficios de un empleo público para dedicarme al altar. Que me había hecho vencer el derrotismo en otras denominaciones evangélicas, cuyos líderes no creían en mí. Que me había hecho vencer la enfermedad en Viviane, mi hija tan querida. Que me había hecho traspasar los límites del quiosco y encontrar una antigua funeraria. Que me había conducido a un encuentro con Dios. Al bautismo con el Espíritu Santo. A la pasión por las almas. A una nueva razón para vivir. Que me había hecho llegar a donde nunca había llegado.

No tenía nada que perder.

Desde el inicio, mi dedicación a la Iglesia pasó a ser de 24 horas, incansablemente. Luego me mudé a un pequeño departamento, al lado de la antigua funeraria, para facilitar la atención espiritual. Di todo de mí todo el tiempo. Hacía reuniones por la mañana, tarde y noche.

Orientaba a decenas de personas por semana, centenas por mes, antes y después de los cultos, y en visitas a casas y a los comercios de los fieles. Nuestras ideas también se extendían a los hospitales, montes y comunidades necesitadas, esparciendo oraciones y mensajes de fe simples y objetivos. Siempre entendí que las personas eran lo más importante.

Aún así, la Iglesia no creció de inmediato. Muchas veces, yo entraba en las reuniones cabizbajo, con los ojos cerrados. En algunos cultos, durante el día, se juntaban solamente cuatro o cinco personas. Yo recurría a una promesa bíblica para discernir lo invisible.

—Jesús dijo: "Donde estuvieren dos o más personas reunidas en mi nombre, Yo estaré presente" —anunciaba, inmediatamente—. Jesús está aquí entre nosotros. ¿Ustedes creen? —preguntaba, invitando a los pocos presentes a una rápida oración de manos dadas.

De esa manera, de pie, delante del púlpito, realicé algunas de mis mejores reuniones. Oía los dilemas de cada uno y determinaba la respuesta de Dios.

Así, la Iglesia fue creciendo. Avanzamos con los eventos en cinemas y plazas públicas por otros barrios de Río de Janeiro. Pasaba la madrugada con los demás voluntarios imprimiendo folletos en el mimeógrafo que, a lo largo del día, eran distribuidos en las calles y centros de comercio.

La fe es como un rayo. Ocurre repentinamente a la velocidad de un parpadeo.
Y golpea al mal con una fuerza fuera de lo común.

São Paulo, 6 de novembro de 1989.

À
Rádio Record S/A
At.: Dr. Paulo Machado de Carvalho F°
Nesta

Prezado Senhor:

Sabedor do propósito de V.Sa. e dos demais acionistas dessa empresa em desfazerem-se das ações de que são possuidores, sirvo-me da presente para manifestar minha intenção em adquiri-las, condicionando-se tal desiderato, como de praxe, no prévio e detalhado conhecimento da situação econômico-financeira daquela sociedade.

Na expectativa de um breve pronunciamento de V.Sa. para que possamos dar início aos entendimentos, subscrevo-me,

atenciosamente.

ODENIR LAPROVITA VIEIRA

La carta de intención para la compra de Rede Record, en 1989: La emisora activa más antigua transformada en la segunda televisora más importante de Brasil.

Silvio Santos, Laprovita e Edir Macedo aguardando para depor no Fórum

La negociación con Silvio Santos marcó el inicio de una serie de ataques, sin duda uno de los momentos más difíciles de mi vida.

TV TUPI

En 1978, comencé una etapa pionera con el programa "O despertar da fé" [El despertar de la fe] en la extinta TV Tupi. En el "Panel de la Verdad" presenté testimonios jamás vistos. Y un disco fonográfico de vinilo que marcó época en la vida de muchos fieles.

Al inicio de mis predicaciones, conté con la preciosa ayuda de mujeres evangelistas, las Misioneras del Hogar, quienes también distribuían panfletos y contribuyeron al crecimiento de la Iglesia.

Igreja Universal do Reino de Deus
SEDE: Av. Suburbana, 7.258 – Tel 269-6945
Rio de Janeiro – CGC 29.744.778/0001-97
(MISSIONÁRIA) MEMBRO
NOME Bebiana Moreira Affonso
Igreja Jacarepaguá Inscrição Nº 002
Igreja Universal do Reino de Deus
Assinatura do Pastor
Diretor-Presidente

MILHARES DE PESSOAS ESTÃO SENDO ATENDIDAS POR DEUS,
ATRAVÉS DAS ORAÇÕES QUE SÃO FEITAS EM NOME DE JESUS.

"Tudo é possível para aquele que crê". (Jesus Cristo)

O pastor MACEDO e sua equipe de fé, convida todos os necessitados para receberem a Prece Poderosa.

Venha unir sua fé à do Pastor MACEDO e sua equipe, para receber "As Graças de Deus".

PASTOR MACEDO

Diariamente às 9:00, às 16:00 e às 20:00 horas

Av. Suburbana, 7258 — Abolição — A 20 metros do Largo da Abolição

Pastor Rodrigues

Evangelista Renat...

PRECE INVENCIVEL

Ó Grande, invencível e Poderoso Deus dos Exércitos, em o Nome do Senhor Jesus eu me levanto contra todo o mal que me asseda. Eu uso ó Deus, o Nome dos nomes, o Nome de Seu amado filho, para repreender todas as forças estranhas e ocultas que estão tentando me derrubar. E através da minha fé naquele que é o mesmo, ontem, hoje e o será para sempre, isto é, o Senhor Jesus Cristo, eu já me considero liberto a partir deste momento em diante, porque Nosso Senhor Jesus me garante o milagre, pois Ele disse que tudo quanto pedíssemos a Ti em Seu nome, Tu atenderias! Portanto,

todo e qualquer mal que me assola, seja agora! Agora mesmo! Em nome de Jesus! Obrigado Senhor, pois já posso ver a luz; obrigado Senhor, porque já posso sorrir. Ó Graças a Deus; o Graças a Ti Senhor Jesus! Ó Graças a Ti Senhor, que inclinas os teus ouvidos para atender a um desmerecido! Agora Senhor, eu posso afirmar que só o Senhor é Deus. Toma-me neste momento e faça de mim um vaso de bênçãos, em o Nome do Senhor Jesus!

Amém Senhor... Amém

Faça a Prece Invencível com as missionárias, através da Rádio Metropolitana, diariamente às 7:00 h (da manhã) e às 22:55 h de 2ª a 6ª feira!

El obispo Paulo Roberto Guimarães estuvo encargado del trabajo evangélico en la ciudad de Bahía, que comenzó en la Rua do Tijolo: en aquel entonces, un lugar sucio y extremadamente violento.

Días después de haberse casado, en 1979, el obispo Renato Maduro —a quien añoramos tanto— fue enviado a la ciudad de Juiz de Fora, Minas Gerais, para inaugurar uno de nuestros primeros templos fuera de Río de Janeiro.

Debido al crecimiento de la Iglesia, pasamos a ocupar salas de cinemas que exhibían películas pornográficas. Abajo, la credencial del curso de formación teológica de la IURD, la Faturd.

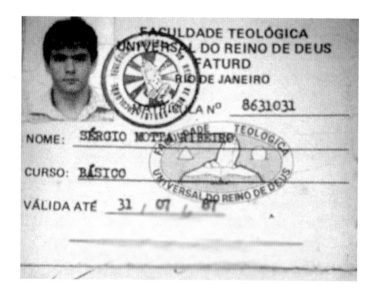

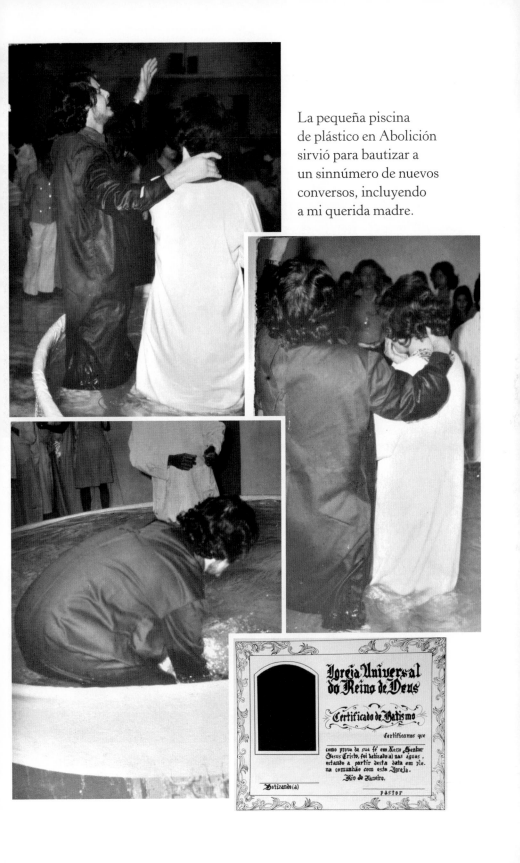

La pequeña piscina de plástico en Abolición sirvió para bautizar a un sinnúmero de nuevos conversos, incluyendo a mi querida madre.

Aspecto do interior do Templo, durante uma Reunião

Al poco tiempo de haberse iniciado el trabajo evangélico, el sencillo predio de la antes fábrica de muebles en la Avenida Suburbana, en Río de Janeiro, pasó a ser conocido como la "Iglesia de los Milagros".

MILAGRES

Los cultos celebrados en Abolición aglomeraban tanta gente que, debido al calor, llegaba a escurrir agua por las paredes.

Antiga Igreja em Abolição - RJ

Desde el inicio, mi dedicación a la Iglesia pasó a ser de 24 horas por día, incansablemente, y hasta el día de hoy continúa así.

Sacrifiqué la casa que había construido en Petrópolis para realizar un gran sueño: comprar Radio Copacabana.

Evento en el Maracaná en la apertura de la antes TV Río: en un acto de fe afirmé que la emisora sería nuestra.

Mis niñas y yo bailando durante un culto en la Iglesia. Ester siempre fue la base sólida de nuestra familia.

Renuncié al placer de estar más cerca de mis hijas pequeñas en nombre de una fe que todas abrazaron: nuestra familia está en el Altar.

Desarrollamos un cuidado personal en la formación de pastores y evangelistas. Eran pocos, lo que facilitaba un acompañamiento más personalizado.

Fue un trabajo de hormiga. Entrevistaba en el altar a quien lograba experimentar un milagro o recuperar su vida. Todos escuchaban sorprendidos. Las historias se difundían. Los frecuentadores invitaban a otras personas, y otras y otras. El pueblo se multiplicaba. Todos querían descubrir el secreto de la fe capaz de hacer todo nuevo.

—Nosotros necesitamos creer en nosotros mismos antes de en otra cosa. Si usted cree en Dios, pero no cree en sí mismo, su creencia no va a funcionar. Piense conmigo: si creer en Dios, pura y simplemente, funcionase, el mundo sería una maravilla. No existe otro camino para su éxito: usted debe creer en Dios y en sí mismo. El Espíritu de Dios no trabaja solito. Él necesita socios en este mundo para hacer Sus maravillas. Él necesita que usted crea en Él y en usted mismo. Esa alianza hace posibles los imposibles. Usted debe creer en sí mismo. Ese es el primer paso para vivir por la fe en el Dios de Abraham, de Isaac y de Israel —enseñaba en los cultos.

Así, viviendo lo que predicaba, logré resistir a las dudas lanzadas contra nuestro empeño inicial. Algunos parientes, principalmente mi cuñado, Romildo Ribeiro Soares, siempre decían que no saldría adelante. Soares comenzó la Iglesia a mi lado porque deseaba crecer velozmente con la incorporación de pastores de otras agrupaciones. Muchos, desempleados, sin compromiso o con un mal matrimonio. Eso jamás funcionaría.

Sabía que el secreto era formar discípulos, gente nacida en el seno de la propia Iglesia, rescatada por la fe que abrazarían a partir de entonces. Era necesario crecer con bases. No aceptaría jamás a pastores sin que hubieran sido espiritualmente liberados. Era necesario dar tiempo al tiempo para lograr calidad. Está claro que esa diferencia de pensamientos resultó en la separación de nuestro trabajo con mi cuñado, como describo detalladamente en *Nada que perder 1*.

La antes funeraria tenía espacio para 225 personas sentadas, pero, en algunas reuniones, se llenaba con más de 400 fieles. Las filas para aconsejar, enormes, cruzaban los pasillos. Pasaba horas, en ocasiones, solo dedicándome a la atención de una única persona. Yo hacía mía la batalla de cada uno, con oraciones y orientación a la luz de la Palabra de Dios. Muchos suplicaban socorro desde la ventana de la casa durante la madrugada. Al regresar del culto, agotado, preparándome para dormir, era llamado para prestar ayuda. Fue así con la hermana de una joven que vivía en una calle vecina.

—¡Pastor, despierte! Por el amor de Dios, mi hermana manifestó un demonio aterrador en casa. Ella está fuera de control. ¡Ayúdeme! —imploró la joven.

Al entrar en la casa, la escena de una película de terror. La mujer, aparentemente de mediana edad, estaba completamente trastornada. El cuerpo un poco curvado, las manos dobladas y los ojos en blanco. La voz era grave. Era posible escuchar sus risas diabólicas desde lejos. En el piso, la Biblia rota. Personas de otras agrupaciones habían intentado socorrer a la mujer colocando la Biblia sobre su cabeza. En vano:

el espíritu inmundo tomó la Biblia y la rompió haciéndola confeti. Ella volvió en sí después de nuestro enfrentamiento implacable contra el mal.

Yo aprendí con las personas, escuchando a lo largo de varios años las angustias de quien sufría. Cada vez que atendía era una nueva lección. Diariamente, aprendía algo distinto al conversar con los desesperados, lo que me inspiró a dividir las reuniones, para atender una necesidad específica cada día de la semana.

Parecía la mejor forma para canalizar la fe de quien buscaba un determinado objetivo, siempre priorizando los cultos por la salvación del alma en las noches de miércoles y en las mañanas y tardes de domingo.

Esa explosión de gente ocurrió después de la divulgación masiva del trabajo de liberación espiritual de la Iglesia Universal, en los meses de nuestro primer programa de radio, aún en Río, como vamos a descubrir en algunas páginas más adelante. Los desafíos a los espíritus abrieron los ojos de quien vivía rehén de la acción perversa de las entidades.

La antes funeraria pasó a quedar pequeña, con gente amontonándose en la acera. Las principales reuniones estaban abarrotadas.

La fama de la Iglesia se difundió.

Los fieles esperaban la hora de la prédica los viernes. Siempre elaboraba una especie de interpretación teatral relajada como técnica para reforzar el enfoque del mensaje. Un día, el entonces joven pastor Manoel Francisco da Silva, uno de los obispos más antiguos de la Universal, apareció en la sala del altar. Él hacía el papel de un espíritu conocido como *"pomba-gira"*. El detalle de las piernas peludas hizo a la iglesia sacudirse de risa.

Creamos el trabajo de evangelización "misioneras del hogar", formado por mujeres que pasaban la semana dando apoyo a los más nuevos en el camino de la fe. Muchos se debilitaban frente a los apuros del día a día y, sin la mínima demora, eran amparados por ese grupo voluntario. Eso fue fundamental para consolidar un cuerpo firme de nuevos miembros. En diversas situaciones, un abrazo, una sonrisa o un simple "no desista, Dios está con usted" ayudaron a fortalecer a los principiantes.

Todos, cada uno con un poquito, contribuían para pagar nuestros compromisos.

—Los gastos de la Iglesia eran contabilizados para no atrasar el pago de la renta al final del mes. El entonces pastor Macedo era muy exigente en el cumplimiento de los pagos. A él no le gustaba deber nada —recuerda Solange Guimarães, una de nuestras primeras funcionarias administrativas y esposa del obispo Paulo Roberto Guimarães, también uno de los pioneros de la Universal.

—Cuando logramos suficiente ofrenda para pagar la renta del mes, en una sola reunión, fue una alegría inolvidable. Compramos refrescos y pan dulce para festejar —cuenta Solange—. Parece algo pequeño, pero fue un logro excepcional para un inicio tan difícil.

El calor de la Iglesia envolvía a todos. Al final de las veladas, durante la madrugada, nos uníamos para lavar los baños y el salón del templo. En el grupo de trabajo había media docena de auxiliares. Ester y yo siempre estábamos cerca.

A pesar de nuestra inexperiencia, hubo mucha sinceridad en ayudar a las personas. Un trabajo tan pequeño, pero hecho con un amor tan grande. Creo que el Espíritu Santo vio aquellos momentos de profunda dedicación, cariño y respeto por este trabajo.

En cada actividad, desarrollada por mí y por los demás voluntarios, había pureza y renuncia, como existe hasta el día de hoy. Situaciones por nadie vistas. Horas en que cada uno se inclinaba sobre cierta actividad, muchas veces a solas, en aquel viejo y mal ventilado edificio de la funeraria.

Estoy seguro de que la Iglesia Universal hoy es el resultado de tanto celo y afecto.

Una mañana en el cementerio

Tiempo después, una tragedia nos conmovió a la Iglesia y a mí. Un joven pastor de Realengo, llamado Júlio Cezar Gomes, de 23 años, atravesó el suburbio de la ciudad transportando las contribuciones financieras de nuestros fieles. Era un joven esforzado, trabajador y muy dedicado a la causa del Evangelio. Había nacido en una familia humilde, atormentado por la depresión, y fue recuperado por el poder de la fe. Nuestra iglesia en Realengo tenía poco tiempo de existencia, pero, poco a poco, crecía venciendo las dificultades comunes a aquella época.

A mitad del trayecto, ya dentro del autobús, un asalto sorprendió a los pasajeros. Júlio Cezar se espantó. El temor de perder los donativos, cargados dentro de una maleta envuelta en sus brazos, aumentó su desesperación. El ladrón anunció el asalto nuevamente. Uno por uno, el bandido reunía carteras, relojes, anillos y otros objetos de valor.

En una reacción desesperada, el pastor Júlio protegió la maleta. El ladrón no pensó dos veces y disparó. El pastor respiró por unos instantes y se desplomó. Los primeros auxilios llegaron cuando él aún estaba vivo, pero murió en el hospital. Murió prácticamente abrazado a las ofrendas y a los diezmos de las personas.

La sangre del pastor fue derramada para proteger la sangre de la Iglesia.

El crimen me sorprendió. Nuestro pequeño templo de Realengo se puso de luto. Aquella noche, reflexioné sobre la actitud de aquel pastor. Por supuesto que no le recomendamos a nadie reaccionar así ante cualquier intento de asalto. La Biblia nos enseña a "orar y mantenerse atentos" (Efesios 6:18), es obvio, pero la intención de aquel joven de proteger la ofrenda me conmovió.

Esa ha sido siempre la orientación del Espíritu Santo a la Iglesia Universal: la comprensión de la santidad de la ofrenda dejada en la Casa de Dios. El dinero colocado en el altar es tan santo como la propia Biblia. Tan santo como el propio Dios. Representa la ofrenda de Dios para el mundo: Su Hijo Jesucristo.

Al día siguiente, decidí ir al entierro del joven pastor en el cementerio Ricardo de Albuquerque, en la Zona Norte de Río. El cuerpo había sido velado durante toda la madrugada. Al entrar, vi a los familiares entristecidos, los colegas pastores y los miembros de Realengo desolados. La escena tocó mi espíritu.

Saludé a todos y, en el momento del entierro, leí en voz alta uno de los salmos de David: "A los ojos del Señor es muy valiosa la muerte de quienes lo aman" (Salmos 116:15). Enseguida, tuve una reacción inesperada. Llamé a los demás pastores, pedí que me ayudaran a levantar el ataúd hacia el cielo y pronuncié una oración.

Mis palabras a Dios fueron directas:

—Mi Señor, hoy tuvimos una baja. Un soldado de nuestro ejército se fue. Que la sangre de él se multiplique en millares de vidas. ¡Millares de hombres de Dios, en todo el mundo, para predicar Tu Palabra!

No solo por ese momento, pero el batallón de predicadores del Evangelio, formados por la escuela de la fe y de la vida de la Universal, se multiplicó en varias partes del planeta. Hoy, somos más de 11 mil pastores y esposas solamente en Brasil. En el mundo, ese número supera el doble. Gente de razas, culturas e idiomas completamente distintos, pero bajo la dirección de un único Espíritu, que vamos a conocer en el tercer volumen de *Nada que perder*.

Ellos son nuestro mayor patrimonio y me han ayudado, desde el principio, en este largo camino de logros de la Iglesia.

Aún en la antes funeraria, el crecimiento me obligó a tomar una decisión: dejar el viejo inmueble y marcharnos a un edificio más grande, una fábrica de muebles en la misma avenida Suburbana, número 7.702, también en el barrio carioca de Abolición. La inauguración definitiva del nuevo templo fue en mayo de 1980. Yo negocié directamente con el dueño, un empresario de Inhaúma.

Después de la mudanza, con el creciente éxito del programa de radio, recibimos a más de 300 personas por primera vez en horarios de poco movimiento hasta entonces, como los martes en la mañana y los viernes en la tarde. Los cultos de liberación aglomeraban gente sobre el pavimento y hacían gotear las paredes del nuevo edificio. Escurría agua por el calor y la cantidad de público, más de 1.500 personas. La renta era cara frente a nuestra realidad, pero aceptamos el desafío. Los gastos se sumaban al valor de la antes funeraria, que continuamos rentando para albergar nuestra imprenta y la escuela de pastores.

Inicialmente, la nueva iglesia de Abolición ni siquiera tenía baptisterio, la piscina donde realizamos el bautismo en las aguas para quien decide aceptar el Evangelio. Como centenas de personas, mi mamá, doña Geninha, fue bautizada personalmente por mí en una pequeña piscina de plástico. Un dulce recuerdo. Fue en aquel templo también donde fui consagrado al cargo de obispo al lado de Ester.

La ceremonia tuvo lugar en el culto de conmemoración de los tres años de vida de la Iglesia Universal y fue una decisión conjunta del colegio de pastores con el objetivo de designar a un responsable del comando administrativo y, sobre todo, del liderazgo espiritual. La autoridad nos fue ratificada por los 12 pastores consagrados de aquel tiempo, más tarde también nombrados obispos debido al crecimiento de la Iglesia. Obispo en la Universal no es un cargo vitalicio y sí un cargo de confianza. Y se debe encuadrar en el perfil descrito en el primer libro de Timoteo: "Pero es necesario que el obispo sea irreprensible y que tenga una sola esposa; que sea sobrio, prudente, decoroso, hospedador, apto para enseñar" (1 Timoteo 3:2).

En el momento de la consagración, uno de los pastores relató hechos sobresalientes de mi ministerio como pastor y justificó la necesidad de un líder para la Iglesia. Mis padres presenciaron todo. Nos arrodillamos para recibir la unción especial. Ester y yo lloramos mucho.

Era la realización del sueño de servir a Dios. ¿Cómo no recordar las luchas para llegar hasta ahí? La noche en que clamé "¡mi Padre!" en una humillante reunión de pastores. La imputación injusta de erigir una "iglesia de ancianas". El sufrimiento de ser desechado. La acusación de no tener el llamado de Dios. La vergüenza. La cara en el piso. Mi interior desgarrado. Solo el Espíritu Santo y yo comprendimos aquel momento.

El altar es mi vida.

DIPLOMA DE LA VIDA

Intentamos instruir a nuestros pastores con la creación de la FATURD, inicialmente fundada en el edificio de la exfuneraria, después de la apertura de la iglesia de Abolición. La idea era establecer una facultad capaz de proporcionar fundamento bíblico para la primera generación de predicadores. Muchos profesores eran de otras ramificaciones evangélicas, lo que produjo algunos descontentos.

El ex obispo Carlos Rodrigues y el obispo Renato Maduro —a quien añoramos tanto—, fueron de ese período de experiencia académica e, influenciados por algunos profesores, adoptaron métodos extraños jamás aprendidos. Cierto día, Renato me buscó sin aliento. Él, Rodrigues y otros pastores siempre se reunían en el fondo de la iglesia, después de los cultos, para hablar con Dios.

Una de esas noches, Rodrigues encabezó la oración con las siguientes palabras:

—Habla, Señor (*silencio*)… Habla, habla, habla, habla (*silencio*)… Habla, Señor (*silencio más prolongado*)…

Y permanecía estático, de manos dadas con los demás pastores, como esperando que algo ocurriera. Desconfiado, Renato abrió uno de sus ojos y me buscó enseguida.

—Yo no me siento bien con ese tipo de oración que hace Rodrigues. Ese estilo no genera algo positivo —reclamó, malhumorado.

Ese mismo día, apliqué una severa reprimenda a Rodrigues y le pedí que abandonara la nueva costumbre. Él acató de inmediato. Después, me contó que había aprendido ese tipo de doctrina en un curso pentecostal, impartido por un profesor de la FATURD. Es decir, era un intento de implantar el dogma de profecías dentro de la Iglesia Universal.

El mal de las profecías, con la interpretación miope de los evangélicos, comenzaba a extenderse desde ese entonces. Profecía, para ellos, siempre fue sinónimo de adivinación. A lo largo de esos años, recibimos innumerables víctimas de esa plaga religiosa. Gente sincera engañada por una práctica diabólica. Muchos se unieron en matrimonio, cambiaron de empleo o de país y hasta se divorciaron, abandonando a sus propios hijos dentro de casa, porque un "pastor profeta" afirmó adivinar su futuro.

Preste atención a las prácticas condenadas por Dios durante una dura reprimenda sufrida por el rey Manasés, de Jerusalén: "[…] invocaba a los espíritus, practicaba la adivinación, y consultaba a agoreros y encantadores, con lo que excedió su maldad a los ojos del Señor y despertó su ira" (2 Crónicas 33:6).

¿Cuál es la diferencia entre un "pastor profeta" y un adivino que lee las manos?

¡Truhanería! ¡Eso me provoca náuseas!

Así, para evitar la importación de vicios de otras instituciones creyentes, decidimos desactivar la FATURD. El tiempo probó que la decisión fue correcta. Un curso de teología no garantiza la graduación de un buen pastor. Yo mismo tengo diplomas y más diplomas, pero eso no asegura mi calidad como predicador del Evangelio. Ese conocimiento es importante, claro, pero no me hace un pastor mejor calificado. Tengo varios certificados colgados en la pared. Doctor en Filosofía Cristiana, maestro en Ciencias Teológicas, doctor en Divinidad, licenciado y doctor en Teología. Sin embargo, doy poca importancia a esos títulos.

Usé mi pasión por enseñar para ayudar directamente en la formación de pastores precursores. Heredé esa pasión, tal vez, por el talento aprendido con la profesora Rosa, funcionaria pública que me alfabetizó en la Escuela Portugal, en São Cristóvão, en Río de Janeiro.

Empleaba esa vocación para enseñar a predicar en público los ideales cristianos con empeño y verdad. Yo intentaba explicar personalmente cómo comunicarse desde el púlpito. Procuro siempre emplear ejemplos fáciles y comparaciones simples, utilizando a propósito palabras menos rebuscadas.

Acostumbro adoptar expresiones poco usuales: "¡Su vida es caca!". Alguien piensa: "¿Qué? ¿El pastor dijo caca?". Esa técnica impide a la persona olvidar el foco central de lo que fue dicho. Es lo único que me importa. La propia Biblia utiliza ese recurso en una exhortación de Dios: "[…] y a ustedes les arrojaré estiércol en la cara, el mismo estiércol de los animales que ustedes ofrecen en sacrificio, y ustedes serán arrojados juntamente con el estiércol" (Malaquías 2:3). Palabras fuertes provocan el impacto necesario para despertar la fe de quienes nos escuchan, les digo siempre a los pastores.

Hasta ahora, nunca perdí ese placer de enseñar. Me hace feliz transmitir lo que he aprendido. Hago reuniones con mis compañeros de púlpito, invariablemente, todas las semanas. Trato, sobre todo, de asuntos espirituales, la principal razón de los encuentros. Hay otras reuniones, en promedio, dos o tres veces al año, con los obispos que dirigen la Iglesia en ciertos países o continentes.

Son momentos dedicados absolutamente a la meditación en la Palabra de Dios. Muchas inspiraciones que ayudaron a transformar la vida de millares de fieles salieron de esas reuniones. Antes de otra cosa, pienso en los propios obispos, pastores, auxiliares y obreros. Valoro la salvación del alma de cada uno de ellos antes que el resultado de cualquier trabajo. Repito incansablemente que jamás debemos bajar la guardia de la conquista de la eternidad al lado de Dios. De nada sirve ganar el mundo entero y perder la propia alma. Ellos conocen mi sinceridad y, por eso, me respetan. Solamente así, ellos reúnen las condiciones para transmitir Espíritu y no mera información bíblica. Pasar Espíritu es ofrecer lo que se vive. Es llevar fe y vida.

También cuido a los más nuevos. Antes de convertirse en pastores, los auxiliares —la mayoría jóvenes entre 18 y 25 años de edad, inscritos en el IBURD, el Instituto Bíblico Universal del Reino de Dios— pasan por entrenamientos prácticos. Durante dos o tres años, asisten a cultos y absorben experiencias. Después, son enviados como auxiliares de pastor a algún templo.

Enseño siempre a ver la oportunidad y no la dificultad. Es el espíritu del pastor quien manda. También alertamos sobre la disciplina moral y espiritual de la Iglesia. Nuestro trabajo es muy serio. Enseñamos a los pastores a mantenerse fieles en sus conductas y comportamiento. ¿Qué autoridad espiritual tiene para predicar el evangelio un pastor que cayó en adulterio, por ejemplo?

Orientamos de cerca a los solteros, novios y novias a casarse correctamente, condición fundamental para el surgimiento de un pastor exitoso. Sin embargo, no siempre es posible. Algunos terminan casándose llevados por las pasiones del corazón. Ese es uno de mis principales secretos: la construcción de una unión sólida y feliz al lado de Ester, cuyas confidencias serán reveladas en *Nada que perder 3*.

Organizamos un departamento con centenas de funcionarios en todo Brasil solamente para auxiliar a los pastores. Ellos tienen la oportunidad de aprender un nuevo idioma, vivir en otro país, casarse, tener una vida digna. Cada pastor recibe vivienda, asistencia médica, plan odontológico y derecho a descansar una o dos veces por semana, además de una ayuda económica para gastos mensuales.

Cómo quisiera que me hubieran dado esa oportunidad.

Frecuentemente me preguntan: ¿cómo administrar una institución gigante, con millares de hombres y mujeres esparcidos por todos los rincones? ¿Cómo controlar ese batallón de personas en el mundo entero? ¿Cómo confiar ciegamente en quien está aislado del otro lado del planeta? ¿Cómo liderar con éxito un contingente de seres humanos de ese tamaño?

La respuesta siempre es la misma: el Espíritu Santo. No hay otra explicación.

Hoy, lo que más existe en Brasil y en el exterior son pastores graduados de renombradas universidades, pero ignorantes en la fe. Llenos de conocimiento, pero vacíos del Espíritu Santo, completamente huecos de la verdadera fe que transforma a los angustiados.

Desde siempre, mi intención fue poner en práctica la exhortación del profeta Jeremías: "Yo les daré gobernantes [pastores] que los cuiden y alimenten de manera sabia e inteligente; gobernantes [pastores] que hagan mi voluntad" (Jeremías 3:15). Si la Universal sobresale entre las demás iglesias evangélicas, es por la dirección de Dios, porque trabajamos aliando fe e inteligencia. Ese es el parteaguas. La gran diferencia entre nosotros y los demás. Es por eso que somos un referente. A donde vamos, todas las demás nos siguen.

Lo lamentable es no encontrar ningún líder, en Brasil u otro país, interesado en salvar almas. ¡Lo digo abiertamente! Ese es el motivo por el cual la mayoría de los evangélicos no me aprecian ni a mí ni a la Universal. Ellos siempre fueron, dígase de paso, uno de los mayores obstáculos para nuestro crecimiento en distintas partes del mundo. Yo no estoy atado a nadie. Somos libres para decir la verdad. Y para eso, no es necesaria una licenciatura en religión o posgrados en Teología.

El buen pastor se forma día a día, lidiando con los afligidos y necesitados, en el sacrificio diario por las almas perdidas.

Los pastores de la Iglesia Universal no son los dueños de

la verdad, pero el sacrificio de vida que ofrecen en el altar no es comparable en ninguna otra institución. *Vivem sem eira nem beira*[5]. Un día despiertan en el interior de África y, al otro, duermen en los poblados ribereños del Amazonas. Llevan solamente a su esposa, hijos, si los tienen, y una maleta. Nada más.

Se entregan en una catedral lujosa con la misma pasión e intensidad que en un templo hecho de paja y barro. Viven en función de quien padece, siempre con una sonrisa y una palabra de fe para levantar a los abatidos. ¿A quién le interesa esa gente marginada, rica o pobre, que los pastores de la Universal abrazan? ¿A instituciones privadas? ¿A las autoridades? ¿A los gobiernos?

Muchos pastores ni siquiera tuvieron la oportunidad de enterrar a sus propios padres por estar en medio de esa batalla espiritual. Yo fui uno de ellos. El 27 de enero de 1987, no pude ir a la ciudad minera de Juiz de Fora para sepultar a mi viejo padre, Henrique Francisco Bezerra, porque estaba con un proceso de documentación en marcha, vital para poder predicar en Estados Unidos. Solamente guardo el recuerdo de un hombre íntegro, honesto y protector de su casa.

Aun con el apoyo de la Iglesia, otros pastores y obispos no lograron dar un último adiós a su madre, a su padre o a otro familiar querido, porque estaban lejos, dedicando la vida a la Palabra de Dios. Eso no es insensibilidad o falta de amor a la familia, sino absoluta entrega de la propia vida en sacrificio en el altar.

Antes de criticar a un pastor de la Universal, piense en ello.

CARTAS DE SOCORRO

Con los programas de televisión en Tupi, aún en los tres primeros años de la Iglesia, llegaban, diariamente, centenares de cartas pidiendo la apertura de templos en ciudades por todo el país. Eran millares por mes. Nuestra voluntad era abrir 500 templos de una sola vez en todos los rincones de Brasil, pero no teníamos condiciones financieras y mucho menos pastores capacitados para eso. Fue necesario dar un paso a la vez.

Comenzamos nuestra expansión por Río de Janeiro, exactamente en el barrio de Padre Miguel, con un templo montado debajo de un toldo de lona en un terreno baldío, detrás de un supermercado. Ni siquiera había piso cimentado. Yo pasaba varios días de la semana buscando nuevos inmuebles en Río, pero ya vislumbraba las demás capitales brasileñas. Otras regiones fluminenses pronto obtuvieron nuevos templos: Grajaú, Irajá, Campo Grande, Duque de Caxias y Nueva Iguazú. Centenares de pastores y obreros se dieron a conocer en esos lugares, con el paso de los años, donde conduje personalmente decenas de reuniones y veladas especiales.

Era hora de ganar Brasil. A partir de 1979, dos años después del primer culto en la antes funeraria, emprendimos acciones simultáneas en São Paulo y Minas Gerais. El primer templo fuera de Río fue abierto en la ciudad de Juiz de Fora, pocos días después de haber realizado el casamiento del obispo Renato Maduro. Él y su esposa pasaron la luna de miel en la ciudad minera de Caxambu, en el mismo hotel donde pasé mi viaje nupcial con Ester. Fue nuestro regalo de bodas para ellos.

Días después, pedí a Renato viajar a la vecina Juiz de Fora para atender espiritualmente a uno de los primos de Ester, quien padecía el vicio de las drogas. Renato había vencido ese mismo mal después de varias sobredosis de cocaína y consecutivos internamientos en clínicas de rehabilitación.

—Pastor Macedo, el lugar tiene potencial para crecer. En esta ciudad hay muchas personas sufriendo —me contó Renato, por teléfono.

Su entusiasmo tenía sentido. Muchos jóvenes, como él en el pasado, eran esclavos de las drogas, tormento que afectaba a todo Juiz de Fora a finales de 1970.

—Además, pastor: hay una discoteca lista para ser rentada justo en el centro de la ciudad. ¡Todo saldrá bien! —completó, refiriéndose a "Girafão", el más famoso club nocturno del lugar, donde, en las noches de viernes a domingo, había fiestas y, los demás días de la semana, pasaron a tener lugar los cultos de la Iglesia Universal. El hecho inusitado llamó

la atención de la juventud, que comenzó a llenar principalmente los cultos de liberación. La mayoría deseaba conocer
de cerca la impresionante historia de superación de Renato
Maduro.

A la mitad de su conferencia sobre drogas, anunciaba la
salvación del Señor Jesús. Pedí que hicieran un folleto con fotos de él antes y después del vicio. Esparcimos por la ciudad
la invitación, de un lado, con la imagen impactante de Renato
deprimido, con el cabello largo, cadavérico y, del otro, bien
vestido, cabellos arreglados, rostro sonriente. Las conferen-
cias se abarrotaron. Oraciones fuertes acontecían con el uso
de los aparatos de sonido de la discoteca y a la mitad de la
pista de baile, con los globos de luz colgados en el techo.

Algunos meses después, el club nocturno se vació y el
dueño nos ofreció la renta integral del inmueble, aceptada
por mí en ese mismo instante. Rentamos un espacio en la
radio local y la iglesia creció de una sola vez. Yo mismo hice
varios cultos ahí. Hoy, tenemos 22 iglesias en la región de
Juiz de Fora y más de 600 en todo el estado de Minas Gerais.

En São Paulo, casi al mismo tiempo, la primera Iglesia
Universal fue abierta en un edificio viejo en la avenida Doutor
Gentil de Moura, barrio de Ipiranga, zona muy concurrida de
la ciudad. En el lugar hacía calor. Hervía en los cultos durante
el día y se infestaba de moscas en la noche. Más adelante, nos
cambiamos a un templo en el popular barrio del Parque Don
Pedro, reducto de autobuses provenientes de las más diversas
partes de la capital, y, enseguida, a un cinema en bancarrota
en la avenida Celso Garcia, en la manzana vecina donde hoy
construimos el Templo de Salomón.

Mientras tanto, yo realizaba innumerables encuentros especiales en espacios rentados en cinemas del estado de São Paulo. Las afiliadas de TV Tupi tenían un gran alcance en el interior paulista, lo que nos permitía organizar eventos concurridos en Campinas, Sorocaba, Ribeirão Preto y en otras regiones. En Río, repetíamos esa estrategia. Muchos cinemas exhibían funciones de películas pornográficas durante ciertos días y, durante otros, recibían nuestro trabajo de fe. Cine Bruni, en el Méier y en la Plaza Tiradentes, funcionaban así. En Copacabana, el antiguo Cine Alaska también. Muchos de esos cinemas, después, fueron transformados en sedes de la Iglesia Universal.

Al año siguiente, nos fuimos a Bahía. Yo estaba en la matriz de Abolición pensando cuál pastor desenvolvería mejor nuestra misión tan importante. A fin de cuentas, Salvador sería nuestra puerta de entrada para la Iglesia Universal en todo el Nordeste. Estacioné el automóvil frente al templo de Grajaú, en Río, donde el entonces pastor Paulo Roberto Guimarães daba sus primeros pasos como predicador.

—Paulo, ¿tienes fe para ir a Salvador y abrir nuestra Iglesia allá? —pregunté sin rodeos.

—Claro que sí. Quiero servir a Dios —respondió, igualmente sin rodeos.

La mudanza se hizo rápidamente. Pocos días después, con menos de un mes de casado, Paulo Roberto desembarcó en la Rua do Tijolo, en la Praça da Sé, barrio tradicional de la capital baiana, muy cerca del Elevador Lacerda, donde ya habíamos conseguido un espacio rentado. El pequeño salón era un antiguo depósito de basura en el subsuelo de un edificio llamado Themis.

La región vivía en el pináculo de su degradación. Prostitutas, travestis, adictos a las drogas y traficantes discutían día y noche por ahí. Borrachos orinaban en las escaleras que daban acceso a nuestro salón, esparciendo un olor terrible en el ambiente. Justo enfrente, dos contenedores de residuos atraían una infinidad de mosquitos, cucarachas y hasta ratones. Y para empeorar, la iglesia no tenía ventanas ni cualquier otro tipo de ventilación.

Paulo Roberto cuenta que se asustó y no daba crédito al ver aquel lugar. Pensó incluso que no convencería a las personas de conocer la iglesia. Él solo tenía 20 años, era una experiencia drástica para alguien tan joven.

La semana siguiente, el teléfono de casa sonó.

—Pastor Macedo, este lugar que consiguieron no sirve. Es horrible, el peor lugar de Salvador. *Estamos na boca do lixo*[6]! —me dijo, seguido de una extensa y detallada narración de lo devastador del escenario.

Dejé a Paulo Roberto desahogarse y le respondí de inmediato:

—¡Gracias a Dios, Paulo! Ese es el lugar idóneo. Es ahí que la Iglesia Universal va a ser un éxito. Son ese tipo de personas quienes más necesitan el Evangelio. Gente sufrida, ¡que necesita cambiar de vida!

Paulo Roberto recuerda esa conversación hasta el día de hoy:

—En aquel momento, yo entendí la exacta y real dimensión de la obra de Dios. Yo solamente creí y obedecí. Al colgar el teléfono, empecé a ver aquel lugar de forma diferente. Era el lugar que Dios había escogido para transformar vidas en Bahía, como nunca antes ocurrió.

La tarde del día 20 de julio de 1980, inauguramos nuestro primer templo en el Nordeste con la presencia de más de mil fieles. El salón tenía capacidad para 250 sillas de plástico. Mucha gente se quedó afuera. La multitud, que se aglomeró incluso en un estacionamiento frente a la iglesia, vino motivada por las invitaciones hechas en los programas de la afiliada local de TV Tupi. Además de eso, fueron entregados folletos y pósteres durante varias semanas en Salvador.

Días después de la apertura, fuimos obligados a realizar cinco reuniones diarias para atender a tanto público. La mayoría continuaba presenciando los cultos de pie. Solo había un baño para hombres y mujeres y la falta de ventilación hacía aún más insoportable el calor de Bahía. Aun así, allí, en medio a tanto caos, mucha gente se liberó del pasado sucio y conquistó la riqueza de un nuevo nacimiento.

Bahía tiene hoy más de 540 templos, 16 mil obreros y una cantidad incontable de fieles. En toda la región Nordeste, son en total más de 2 mil iglesias.

Un año después de nuestra llegada a Salvador, en una entrevista a la revista *Plenitude*, en agosto de 1981, comenté sobre nuestro proyecto de crecimiento y mis intenciones de esparcir la Iglesia por todos los rincones del país. La cantidad de pedidos de templos, enviados gracias a nuestros programas de TV, se multiplicaba. Vea un fragmento de la entrevista:

Reportero: ¿Usted cree que la Iglesia Universal ya logró sus objetivos en Brasil?

Obispo Macedo: No. Aún hay mucho por hacer. Preten-
demos entrar con nuestro programa de televisión hasta el mes
de julio en todo Brasil y, hasta el fin de este año, pretendemos
tener, por lo menos, una iglesia en cada estado brasileño.

Reportero: ¿La Universal tiene condiciones financieras
para estos emprendimientos?

Obispo Macedo: Actualmente no. Pero tenemos fe y eso es lo
más importante. El pueblo siempre ayuda cuando reconoce que
la obra es de Dios y, si las religiones y sectas falsas crecen y se
propagan en el mundo entero, ¿por qué una obra de Dios, en la
unción del Espíritu Santo, no va a lograr eso también?

Vamos a conocer más adelante el crecimiento inigualable
de la Universal en el resto de Brasil, pero antes es necesario
entender una guerra jamás vista que se levantó en nuestra
nación. Una batalla contra el infierno como los brasileños
nunca antes habían presenciado.

El mal sería desenmascarado.

LOS DEMONIOS SÍ EXISTEN

El volumen excesivo de pedidos para la apertura de nuevas iglesias tenía una motivación específica: la mayoría deseaba participar de las oraciones de liberación espiritual. Brasil vivía el culto exacerbado a los símbolos de veneración de los espíritus. La moda era cargar un guía o una figa[7] en el cuello y preparar embrujos en cascadas, encrucijadas y cementerios. Las súplicas de socorro se intensificaban. A veces, pasaba horas leyendo la correspondencia.

Creo que esa fue una de las principales revelaciones divinas en el trayecto de la Iglesia Universal: desarrollar una estrategia de enfrentamiento feroz y directo contra el mal, como ninguna otra institución lo hace en el mundo. El Libro de Hechos de los Apóstoles traduce exactamente la imagen de ese actual trabajo de la Universal: "[…] Dios ungió a Jesús de Nazaret con el Espíritu Santo y con poder, y que él anduvo haciendo el bien y sanando a todos los que estaban oprimidos por el diablo, porque Dios estaba con él" (10:38).

El diablo, los demonios y el infierno sí existen, y actúan en la vida del ser humano tanto en el día de hoy como en el pasado y van a continuar actuando en el futuro. Ellos no fueron inventados por mí o por la Iglesia Universal, pero las referencias claras y objetivas están disponibles para cualquier lector de la Santa Biblia.

Las citas son tan transparentes que no dejan siquiera un poco de duda y están esparcidas desde el Antiguo hasta el Nuevo Testamento.

Seleccioné solamente siete pasajes cortos para una reflexión profunda y neutral del lector. Lea, sin que yo interfiera, y saque sus conclusiones.

El cántico de Moisés

"En vez de ofrecerle sacrificios a Dios, se los ofreció a los demonios, a dioses que nunca antes había conocido; a dioses nuevos, venidos de cerca [...]"

(Deuteronomio 32:17)

Conversación de Dios con Satanás

"Entonces el Señor le preguntó: ¿Y no has pensado en mi siervo Job? ¿Acaso has visto alguien con una conducta tan intachable como él? ¡No le hace ningún mal a nadie, y es temeroso de Dios! Pero Satanás le respondió al Señor: ¿Y acaso Job teme a Dios sin recibir nada a cambio?"

(Job 1:8 y 9)

Súplica de David

"Esos malvados serán llevados al sepulcro [infierno], con todos los que se olvidan de Dios."

(Salmos 9:17)

El descubrimiento de los apóstoles

"Volvieron los setenta con gozo, diciendo: Señor, aun los demonios se nos sujetan en tu nombre."

(Lucas 10:17)

De los labios de Jesús

"Cuando el espíritu impuro sale del hombre, anda por lugares áridos en busca de reposo, y no lo halla. Entonces dice: Volveré a mi casa, de donde salí. Y cuando llega, la halla desocupada, barrida y adornada. Entonces va y trae otros siete espíritus peores que él, y entran y allí se quedan a vivir. ¡Y el estado final de aquel hombre resulta ser peor que el primero! [...]"

(Mateo 12:43-45)

Enseñanza del apóstol Pablo

"Revístanse de toda la armadura de Dios, para que puedan hacer frente a las asechanzas del diablo."

(Efesios 6:11)

La revelación del Apocalipsis

"El diablo, que los había engañado, fue lanzado al lago de fuego y azufre, donde estaban la bestia y el falso profeta. Y allí serán atormentados día y noche por los siglos de los siglos."

(Apocalipsis 20:10)

Aún siendo un joven pastor, desde el comienzo de mi vida en el altar, yo saqué mis propias conclusiones.

Decidí que la Iglesia Universal se levantaría contra el mal como nunca antes. Era necesario valor, determinación y, sobre todo, la conducción del Espíritu Santo. Yo había sido llamado para eso. No importa si me acusan de promover lavado de cerebro o de instigar mentes. Esos espíritus son la fuente del mal y eso necesitaba ser anunciado de una manera evidente, sin rodeos.

Ellos matan, roban y destruyen por medio de la actuación en el interior del ser humano. Yo mismo había sido rehén de esa esclavitud maligna. En la adolescencia, gemí a causa de las experiencias fallidas en busca de una cura para una enfermedad de la piel. Una cruz fue dibujada en parte de mi cuerpo dentro de un centro místico conocido como San Antonio de Padua. La situación empeoró. A pesar de que yo no manifestara con espíritus, había demonios actuando en mi vida. La iglesia evangélica donde Ester y yo fuimos "criados" no poseía una doctrina de combate directo contra el mal.

Los creyentes siempre tuvieron miedo a los demonios. Los pastores huían del asunto. No había ni una sola iglesia evangélica capaz de hacer suya la pelea de millones de brasileños perdidos en las tinieblas. Eso me incomodaba, sacudía mi interior. Pronto entendí que la autoridad fue dada a los verdaderos cristianos al meditar en las palabras del Señor Jesús: "Miren que yo les he dado a ustedes poder para aplastar serpientes y escorpiones, y para vencer a todo el poder del enemigo, sin que nada los dañe" (Lucas 10:19).

Decidí mostrar quién era quién. Nombrar a los espíritus y desenmascararlos frente a todos, sin miedo, reprenderlos con todas mis fuerzas. La distinción era necesaria. El bien y el mal. El fuerte y el débil. Los hijos de la luz y los hijos de las tinieblas. Dios y el diablo.

Mi sueño era invadir el infierno para rescatar almas. Esas ganas palpitaban en mis venas. Nada, ni nadie, me lo impediría. Absolutamente nada me causaría daño. Era la promesa. Era la hora de probar la verdad de mi creencia y del llamado de Dios. O era o no era. O la Biblia es verdad, Dios existe y está conmigo, o todo en lo que yo creía era una farsa. ¿Cómo saberlo?

Fui a desafiar a los espíritus.

La primera declaración de guerra ocurrió en nuestro programa en Radio Metropolitana, que heredaba la audiencia de una famosa atracción espiritualista. En vivo, yo convoqué a los oyentes a acudir al desafío de los dioses en la iglesia. El Dios de la Universal contra los espíritus que provocan enfermedades y síntomas de posesión que eran anunciados allí como ángeles superiores y protectores.

—¡Quiero ver la fuerza de su entidad! ¡Tráigala a la iglesia para que todos vean quién es más fuerte! ¡Si mi Dios o su guía! —anunciaba en la radio, en conversaciones acaloradas con los oyentes por teléfono.

Muchos me amenazaban. Decían que los espíritus me poseerían o quebrarían mis piernas frente a los fieles. Al llegar a la iglesia, colapsaban poseídos por demonios.

Río de Janeiro continuaba infestado por trabajos de hechicería, que ocupaban espacios enormes en aceras de cementerios en los suburbios y hasta en calles de barrios nobles. Siempre surgían noticias breves sobre animales y niños ofrecidos en sacrificio a las entidades, pero, casi siempre, nadie era castigado. Rede Record aún no era nuestra para denunciar tamaña depravación.

Uno de los casos más inauditos para mí, en aquellos años, fue el de un joven carioca que comía restos mortales en cementerios en rituales de brujería. El muchacho había jurado matarme. Su propósito era matarme solo "con el poder de los ojos" y, para eso, se había entregado con ímpetu a los espíritus. Al llegar a la iglesia, los espíritus para quien él "batia cabeça[8]" cayeron de rodillas. Las entidades que poseían el cuerpo, la mente y el alma de él fueron desenmascaradas delante de casi 2 mil personas.

Al ser libre de la actuación de los espíritus malignos, contó su historia en nuestro programa de radio durante más de una semana. Fui procesado por emitir el testimonio al aire en Radio Metropolitana, después fui absuelto por la Justicia. Otro muchacho, víctima de un ritual semejante, apareció en la iglesia con el cuerpo cubierto de pequeñas ampollas. En el momento de la oración, las heridas escurrían tanta sangre que me ensuciaron desde arriba hasta abajo.

La estrategia de afrontar el mal fue llevada a los programas de TV Tupi. Pronto, nuestros templos se llenaron de gente desesperada queriendo ser libre de la cruel actuación de los espíritus. Hasta pastores de otras denominaciones evangélicas mandaban a sus miembros a buscar liberación en la Iglesia Universal. Actualmente, sigue siendo así.

Nuestras reuniones de viernes en Abolición se abarrotaban. Escogimos el viernes para las corrientes de liberación por tratarse de un día en el que son preparados los hechizos más agresivos. Nuestra inspiración fue una indicación dada por las enseñanzas del Señor Jesús: "Y conocerán la verdad, y la verdad los hará libres" (Juan 8:32).

Cierto día, una mañana de viernes, mientras predicaba en la antes funeraria, uno de los jefes de trabajos con espíritus entró en la iglesia, sigilosamente. Tomó asiento en la parte de atrás y me miró. Agostinho Inácio da Silva tenía 41 años y se sumergió en ese mundo maligno al ser víctima de un "trabajo" sentimental hecho por su exnovia.

Cuando se consultó, oyó que debía desarrollar esa capacidad mística. Era un hombre negro, robusto y de ceño fruncido, que sirvió a los espíritus por más de 20 años. Muchas consultas ocurrieron dentro de su propia casa y llegaron a reunir centenares de personas. Los espíritus determinaban incluso lo que él debía vestir y comer. Nadie ponía las manos sobre su cabeza. Él llegaba a mantener relaciones sexuales con los espíritus en el cuerpo de una mujer imaginaria.

—Usted que está o estuvo envuelto con espíritus, por favor, venga aquí delante del altar y cierre sus ojos ahora —invité, hablando al micrófono.

Agostinho, como era conocido, se mantuvo en su lugar con los ojos abiertos. La oración inició y, de repente, pocos segundos después, un grito resonó en la iglesia. Un espíritu se había manifestado en el cuerpo de él. Aún a distancia, le di órdenes al espíritu maligno para que cargase al corpulento hombre hasta el altar, donde yo estaba.

Con los brazos cruzados hacia atrás, los dedos flexionados con fuerza y la cabeza inclinada hacia el frente, Agostinho se aproximó con una rapidez increíble. Su cuerpo corría hacia el altar velozmente, como si fuese un toro incontrolable. Su cabeza iba a chocar contra la pared del altar, en un intenso impacto. De repente, a pocos centímetros del accidente, el espíritu sujetó el cuerpo de él. Era posible imaginar el tamaño de la tragedia.

Mientras recibía oraciones, él se debatía y gritaba ferozmente. Después, junto con los demás pastores y obreros, determiné su completa liberación. Esa fue la primera y única vez que Agostinho manifestó un espíritu maligno después de entrar en la Iglesia Universal.

Ahora, sonriente y con una expresión ligera, él se convirtió en uno de mis consultores para entender mejor la actuación de los espíritus. Él fue entrevistado por mí una y otra vez para contar su historia de cambio en el radio y en la televisión, aclarando dudas y despertando la conciencia de mucha gente.

Fue con la ayuda de él que, al inicio de los años 1980, relaté mis experiencias en un libro polémico llamado *Orixás, caboclos e guias: deuses ou demônios?* [Orixás, caboclos y guías: ¿dioses o demonios?], lanzado oficialmente en un evento en el Maracanãzinho. La obra fue publicada en portugués, inglés y español. En una de las ediciones más recientes, la portada tiene la ilustración de una vela encendida y distendida. Llegamos a anunciarlo en las principales emisoras de televisión de Brasil.

El libro, que ya llegó a ser censurado, apenas contiene la verdad cristalina y desmenuzada sobre el efecto nocivo de los espíritus malignos.

OPRESIÓN EN LOS OJOS

Gente con los más variados y tenebrosos males entraron por las puertas de la Universal. Cada persona traía una historia dramática de posesión maligna. Los síntomas eran penosos. Oír voces y ver bultos, heridas por todo el cuerpo, desmayos constantes, alteración profunda del estado emocional, insomnio y dolores de cabeza sin explicación médica. Víctimas de todos los tipos de enfermedades físicas y emocionales.

Con la enorme demanda de las corrientes de liberación, decidí crear las veladas de medianoche. Reuniones de oraciones intensas en el mismo día y horario en que ocurrían los trabajos de hechicería más ofensivos en todo Brasil. El público venía de todas partes de Río de Janeiro y se mantenía de pie durante horas de culto debido a lo lleno del lugar.

Las paredes de la iglesia de Abolición goteaban, aún más, con el calor de la multitud aglomerada en las reuniones.

Tania, viuda del obispo Renato Maduro, fue atendida personalmente por mí. En la primera oración, impuse mis manos sobre su cabeza y llamé al espíritu jefe que actuaba en ella y en su entonces novio.

—Yo perdí el conocimiento. No recuerdo nada después de aquel momento. Cuando reaccioné, me pregunté qué me había sucedido. ¡Sobre todo a mí, que era católica y nunca había puesto mis pies en un lugar donde se invocan espíritus! —recuerda ella, en los días actuales.

Otras ocasiones, la batalla contra los demonios fue reñida. El espíritu en el cuerpo de Tania lanzó un banco hacia lo alto, actitud difícil para alguien con la estatura y el peso de ella. Con la voz alterada, el espíritu maligno contó todo lo que hacía en sus caminos. Antes de un culto, en el día de Cosme y Damián[9], Tania discutió con Renato y, llena de odio, clavó sus uñas en el cuello de él. Cuando terminó la reunión, subió a la oficina donde yo me preparaba para marcharme.

—¿Estás bien, Tania? —pregunté, al ver la opresión en los ojos de ella.

—No, no estoy bien —ella respondió, detallando su reacción de rabia—. Mis manos están sudando frío. Mire cómo escurre el sudor…

Tan pronto terminó de hablar, salté la mesa, empujé una silla en el camino y ordené la manifestación del demonio que causa toda la angustia. El espíritu gritó en el mismo instante. En otras situaciones, yo era obligado a usar las rodillas para inmovilizar sus brazos y evitar el choque de su cabeza en el suelo. Tania vivió un intenso proceso de liberación hasta entregar completamente su vida en el altar. Fue así que ella y millares de obreros y esposas de pastores y obispos llegaron a ayudarnos a socorrer a otros rehenes del mal.

Un caso muy común siempre ha sido el de madres desesperadas con sus bebés convulsionados por la fiebre. Cierta
noche, una de ellas entró con su bebé prácticamente incons-
ciente. Tania fue la primera en recibir a la mujer, muy pobre
y humilde.

—Pastor, ella está desmayándose. Ya llevé a mi hija a cinco hospitales, salas de urgencias, y nada. Nadie descubre
por qué tiene esa fiebre —contó la madre, llorando, poco
antes de la velada de medianoche—. Solo tiene ocho meses.
¡Por el amor de Dios, ayúdeme!

Yo actué con decisión.

—Tania, ¡sujeta a la bebé en tus brazos y ve a la calle con ella!

Determiné que el espíritu maligno actuante en la bebé
manifestase en la madre en ese mismo momento. El demonio vino enseguida y fue arrancado por el poder del nombre
del Señor Jesús.

—Yo llevé a la bebita en mis brazos hasta la acera, incons-
ciente y caliente por la fiebre. Cuando volví a la iglesia, después de la oración, ella estaba bien. Al ver a aquella bebita, me
di cuenta de qué es la felicidad en un hogar —cuenta Tania.

Mis desafíos continuaban en la radio y en la televisión
mientras los cultos se atestaban. Decidí crear reuniones especiales bautizadas como "Corrientes de la mesa blanca".
Nunca vino tanta gente nueva de una sola vez. La mayoría
quería ver de cerca el duelo entre el Dios de la Iglesia Universal y el dios del entonces famoso doctor Fritz.

Fue una época en la que muchas personas buscaron ayuda de la llamada "cirugía espiritual" en el barrio Bonsuces-
so, en Río. Se cobraba por cada cirugía realizada, además de

la tarifa de estacionamiento de los automóviles y la renta de sillas para aguardar en la fila de espera. En la iglesia, yo preguntaba por qué el doctor Fritz no se llamaba "doctor José" o "doctor Juan".

—¿Se debe a que un nombre alemán da la connotación de una raza evolucionada? —cuestionaba, ordenando, enseguida, la manifestación del espíritu inmundo que operaba en el cuerpo del doctor Fritz—. Aquí, el Señor Jesús opera lo invisible de hecho y de verdad.

Algunos años después, el supuesto médico intentó suicidarse y compareció ante la Justicia por varios crímenes, entre ellos ejercer ilegalmente la Medicina, homicidio doloso, lesiones corporales y omisión del deber de socorro.

El audaz embate contra los espíritus, casualmente o no, trajo consecuencias incluso en el momento en que exhibía la verdad. Una tarde de domingo, cuando llegaba a casa, Ester fue víctima de un secuestro *exprés*. Por la ventana, Cristiane vio a su madre regresar con el automóvil, estacionarse en la acera e, inesperadamente, salir nuevamente en compañía de tres hombres. Ester fue asaltada y arrastrada al interior del automóvil.

—Ellos sabían quién era yo. Uno de ellos me dijo: "Baja la cabeza, porque vamos a pasar frente a la iglesia de tu marido" —recuerda Ester, lo que nos permite sospechar que fue un acto criminal encargado.

Fue una agonía. Salí por las calles deprisa, desesperado, en busca de Ester. Aún no existía celular. Después de horas circulando por el barrio, al regresar a casa, finalmente la encontré. Lloramos abrazados. Fue la primera vez que Cristiane vio a su mamá llorando cuando no estaba en oración.

También fue la primera vez que Ester vio un arma tan cerca. Ella había sido liberada por los criminales a pocas cuadras de donde fue apresada. Ellos permanecieron con el revolver apuntando a su cuerpo hasta el momento en el que, al atravesar una calle tranquila, un grupo de jóvenes percibió el movimiento extraño en el vehículo. Los bandidos se asustaron y mandaron a Ester descender sin mirar hacia atrás.

Dios providenció otro libramiento a nuestra familia.

La experiencia cambió mi forma de pensar. En estado de *shock* por la violencia vivida en casa y las continuas amenazas de quien servía a los espíritus, decidí usar un arma.

Pasé a andar con un revolver calibre 38, que, muchas veces, permanecía escondido en el púlpito mientras predicaba en el altar. Más tarde, al escribir el libro *Nos passos de Jesus* [En los pasos de Jesús], el Espíritu Santo me tocó y me convenció de que andar armado era una señal de falta de confianza en Él. Inmediatamente, hice un pacto y dije: "A partir de hoy, nunca más voy a andar armado. Pero, si el Señor no protege mi vida y a mi familia, voy a comprar una ametralladora". Como digo siempre, no estoy a favor de la portación de armas. Y aconsejo siempre a los miembros a no reaccionar ante asaltos o cualquier tipo de violencia.

Aún contra todos los tipos de amenazas, seguí adelante en el compromiso de predicar la verdad. Y Dios vio la honestidad de mis intenciones.

Una de las veladas de medianoche más sorprendentes en Abolición ocurrió un Viernes Santo de 1983. Una muchacha subió al altar poseída por un demonio, conducida por la autoridad de uno de nuestros pastores. Como es costumbre, coloqué de rodillas al espíritu y lo cuestioné sobre las desgracias provocadas en la vida de la joven. Ella sufría infelicidad en el amor y consumo desenfrenado de cocaína y marihuana.

Involuntariamente, pregunté por un asunto muy sonado esa semana en los noticiarios. Una famosa cantante minera, conocida por su repertorio de exaltación a los espíritus malignos, estaba internada entre la vida y la muerte después de una cirugía de rutina en Río de Janeiro.

—Demonio, ¿qué estás haciendo en el cuerpo de la cantante? —cuestioné, ante la iglesia llena.

El espíritu manifestado respondió mi pregunta.

—¡Soy yo quien está allá! No la dejo ni morir ni vivir… Ella no está haciendo las cosas bien… La haré sufrir bastante… ¡Soy yo quien está allá!

Mandé callar al demonio y ordené que vinieran de aquel cuerpo todos los otros espíritus malignos que actuaban en la cama del hospital. Enseguida, unido con los fieles, ejecutamos la liberación de la joven. Fue cuando dije:

—Pongan atención… O esa cantante va a morir o va a despertar, pero ella saldrá de aquel sanatorio —decreté, usando la autoridad del nombre del Señor Jesús.

La noticia llegó horas después de aquel mismo día: la cantante murió exactamente durante la madrugada de aquel Viernes Santo para amanecer Sábado de Gloria.

ESPÍRITU CONTRA ESPÍRITU

Yo tenía la costumbre de invitar al altar a quien dudaba de la veracidad de la existencia de los espíritus satánicos. Siempre fue una forma de que las personas comprobaran la realidad por sí mismas. Pocos se atrevían. Cierta vez, en la ciudad paulista de Itu, un hombre aceptó mi propuesta ante 15 mil fieles reunidos en el estadio Doutor Novelli Júnior.

—A veces, las personas hablan por hablar. Yo desafío ahora a cualquier médico, psiquiatra, cualquier médium a probar si esto es mentira —yo provocaba, señalando a otra joven endemoniada—. Si hay alguien aquí, le dejo hacer la prueba.

Un hombre de mediana edad se acercó al escenario montado sobre el césped y, valientemente, me interrumpió. Pregunté si él era jefe de trabajo con espíritus. A partir de ahí, iniciamos un combate de palabras.

—Si usted está dudando, muestre lo que tiene —le dije.

—Pero vamos allá... *(refiriéndose al lugar donde se invocan espíritus inmundos)* —él respondió.

—Aquí es un campo de fútbol, un lugar neutro —rebatí. El estadio comenzó a abuchear. Y pronto lo provoqué nuevamente:

—¿Usted tiene miedo de ser mordido?

—Claro que no tengo miedo. Quiero saber el nombre de él. Miedo no tengo —replicó el hombre.

—Si usted cree que es mentira, venga acá y pruébelo. ¡Usted tiene miedo! Suba aquí.

Di algunos pasos con la joven endemoniada en dirección al audaz hombre. Él comenzó a dialogar con la mujer poseída:

—Si eres un espíritu, ven y entra en mí. Si eres un espíritu como el mío, ¿por qué no entras en mí?

El espíritu, manifestado en la mujer, apenas miró.

—¿Por qué no vienes acá? Entra en mí… Entra en mí… ¡entra en mí! —él insistió.

No ocurría ninguna reacción en el muchacho; por tanto, decidí ignorarlo y seguir la concentración junto con el público. Liberamos a la mujer poseída, quien se contorsionaba. De repente, al expulsar el mal de otras personas manifestadas, el hombre, que acababa de desafiarme, se descontroló.

Varios pastores intentaron sujetarlo, pero él se debatía con una fuerza insólita. Mientras más orábamos, más se nos enfrentaba. Y yo usaba más la fe. La liberación espiritual es así: mientras más reacción hay por parte del demonio, más aumenta nuestra rabia y nuestras ganas de reaccionar.

Después de minutos de manifestación, él fue liberado y yo lo abracé. El público aplaudió.

Reencontré a ese hombre, 24 años después, en diciembre de 2011, en un programa de televisión vía Internet, IURD TV, presentado en vivo en el barrio de Santo Amaro, en São Paulo. Él me contó que continuaba adicto a las drogas, pero que estaba arrepentido y buscando ayuda en la Iglesia. Oramos imponiendo las manos y nuevamente él incorporó otros espíritus inmundos. Después de la orden de liberación, pregunté:

—¿Ahora qué siente en su interior?

—Alivio, me siento ligero. Parece que estoy en las nubes —dijo. Y sonrió.

El caso de ese hombre de Itu plantea una pregunta que mucha gente se hace a lo largo de estas casi cuatro décadas de Iglesia Universal: ¿cuál es el secreto de la liberación espiritual completa y definitiva?

Solo hay un camino: sinceridad y sacrificio. Sinceridad para confesar, arrepentirse integralmente y arrancar de dentro de sí los pecados escondidos. El Señor Jesús borra sus transgresiones y concede el perdón en el mismo instante. Y sacrificio para, a partir de ahí, inmediatamente abandonar la vida equivocada, lejos de Dios.

La Iglesia Universal existe para los sinceros, no para los hipócritas fabricados por las religiones. Gente veraz en busca de una salida. Una prostituta puede estar en la cama, vendiendo su cuerpo, llevada por los infortunios del mundo, pero suplicando dentro de sí: "¡Yo no quiero esto! ¡Sáquenme de aquí!" Nosotros vamos hasta el infierno para ayudar a ese tipo de personas.

Desde la etapa de Abolición, pensaba en una manera más eficaz para despertar la fe de las personas. Muchas veces no comprendía por qué predicaba y oraba tanto y mucha gente no obtenía milagros. La Biblia, por supuesto, tiene respuestas a todo.

Durante días, reflexioné sobre el episodio en que el Señor Jesús usó apenas la palabra de autoridad para sanar: "Al caer la noche, le llevaron muchos endemoniados, y él, con su sola palabra, expulsó a los demonios y sanó a todos los enfermos" (Mateo 8:16).

En otras situaciones, hay relatos evidentes del uso de un método especial para efectuar milagros, como ocurrió en Galilea: "Le llevaron allí a un sordo y tartamudo, y le rogaban que pusiera la mano sobre él. Jesús lo apartó de la gente, le metió los dedos en las orejas y, con su saliva, le tocó la lengua; luego levantó los ojos al cielo, y lanzando un suspiro le dijo: «¡*Efata!*», es decir, «¡Ábrete!»" Al instante se le abrieron los oídos y se le destrabó la lengua, de modo que comenzó a hablar bien" (Marcos 7:32-35).

Al meditar acerca de esos textos sagrados, me cuestionaba cuál era la necesidad de que Jesús colocara los dedos en los oídos y saliva en la lengua para curar al sordomudo. ¿Por qué no usó ni una sola palabra para curar a aquel enfermo?

Juntamente con la experiencia del día a día en la Iglesia, concluí que existen personas que solo logran liberar su fe cuando, por ejemplo, reciben la unción del aceite en el lugar de sus enfermedades, una rosa consagrada para bendecir su hogar, o sal para lanzarla en sus negocios o hasta beber un cáliz con agua pura.

La propuesta de liberación espiritual y el uso de la simbología bíblica para despertar la fe existente en el interior de cada ser humano trajeron multitudes a la Universal.

Ese increíble avance de la Iglesia le costó caro a mi vida privada.

TAN LEJOS, TAN CERCA

Los primeros años de dedicación sin restricciones a la Iglesia consumieron prácticamente todo mi tiempo de convivencia con mi familia. Ese fue uno de los precios pagados por entregar mi presente y mi futuro a Dios en el altar.

Lo confieso: casi no vi crecer a mis dos hijas amadas. Mi compromiso con el socorro de las almas fue tan grande que me obligó a renunciar al tiempo libre al lado de mis niñas. Con la adopción de Moisés, pronto partimos a Estados Unidos, donde viví más cerca de mis hijos.

Ester, como siempre, sabia mujer de Dios, ejerció un papel fundamental dentro de casa para suplir mi ausencia. En los primeros años en Abolición, cuando pensaba en pasar algunas horas al lado de Cristiane y Viviane, siempre era llamado por la responsabilidad de alguna actividad en la Iglesia, un viaje misionero o algún tipo de atención espiritual de última hora, Nuestro crecimiento exigió todo de mí. Estoy consciente de que fui un padre ausente, a pesar de eso, en ningún momento, reduje mi amor por mis hijos.

Gracias a Dios no crecieron rebeldes. Al contrario, por voluntad propia, Cristiane y Viviane optaron en seguir el mismo camino de abnegación de su padre. Eso alegra mi corazón. Las dos son esposas de obispos exitosos en sus funciones en la Universal.

Casi cuatro décadas después, a veces, converso abiertamente con Cristiane y Viviane sobre aquella fase de nuestras vidas. De hecho, ellas pasaron gran parte de su infancia sin conocer a su padre de cerca. Viviendo hoy todo lo que yo pasé, en nombre de una causa mayor —nuestra fe—, ellas logran entender qué sucedía conmigo.

Renuncié al placer de estar más cerca de las niñas, aún pequeñas, por la creencia que cargo dentro de mi pecho. ¿Qué padre haría eso?

No que esté bien o mal lo que hice, pero fui conducido por una razón mayor. El Espíritu de Dios me guiaba. Hoy, me conforta saber lo que Cristiane piensa. Aún más ella quien, además de haber vivido una infancia diferente, supo entender por qué sus padres le daban más atención a su hermana menor, víctima de un grave problema de salud desde su llegada al mundo. La lucha contra una enfermedad que, además, motivó el surgimiento de la Iglesia Universal del Reino de Dios.

En el transcurso de la preparación de este libro, recibí mensajes de Cristiane y Viviane con desahogos conmovedores, escritos especialmente para mí.

Esas cartas jamás fueron difundidas.

Ellas hablan directamente sobre mí como padre, el amor incondicional y la gratitud a su mamá y me muestran algo valioso. Palabras que suenan más fuertes en los días de hoy. Cristiane y Viviane comprendieron los valores que me hicieron actuar como actué simplemente porque ahora poseen el mismo espíritu de su padre.

Tengo el placer de compartir las dos cartas con los lectores de esta obra. Enseguida, las palabras de Cristiane:

Querido papá,

Normalmente hablamos sobre cómo te conocimos mejor en la adolescencia, cuando las circunstancias de nuestra mudanza a Nueva York cooperaron bastante para pasar más tiempo juntos, pero raramente hablamos del papá que conocíamos antes de eso… un papá diferente a tantos otros.

Yo crecí en una familia feliz, aunque muy distinta a la familia feliz idealizada por las personas, donde el padre juega con sus hijas, la familia tiene sus momentos de ocio, los niños participan de varias actividades escolares, y son preparadas para un futuro prometedor con una carrera.

Vivi, con sus constantes cirugías, me quitó del centro de las atenciones cuando yo solo tenía un año. Después enfermé de asma, lo que me transformó en una niña débil en los días nublados.

Tú trabajabas tanto que las horas en casa eran para descansar. Casi no quedaba nada para nosotros. Y así, nuestra vida era diferente a la de las demás familias.

No teníamos planes para el futuro y cambiamos de escuela seis veces de forma improvisada. No paseábamos en los días festivos, no íbamos a fiestas, ni teníamos vida social. Era de la casa a la escuela, de la escuela a la casa, de la casa a la iglesia, y de la iglesia a la casa.

Tuve que aprender a jugar en una alfombra y tener a mi hermana como mi mejor y única amiga.

Para quien no entiende qué es ser feliz, realmente puede parecer que mi infancia resultó tediosa. Pero no, aun con todo colaborando para que lo fuese. ¿Y sabes por qué?

Porque no necesité ser el centro de atención para sentirme valorada.

Porque no necesité ser fuerte físicamente para sentirme capaz.

Porque no necesité de tu atención para saber cuánto me amabas.

Porque no necesité días festivos para aprovechar la vida.

Porque no necesité vida social para conocer la verdadera amistad.

Porque no necesité una carrera para ser quien soy hoy.

Tú, papá, me diste todo lo que necesitaba. Y ese todo no vino por lo que no me pudiste dar y sí por lo que fuiste y continuas siendo: un hombre de fe.

Tu ausencia en casa nunca fue motivo de ausencia en nuestras vidas.

Teníamos a un padre fiel a nuestra madre, que amaba la familia al grado de guardarnos de todo lo que no era bueno. Un padre que nos enseñó los principios de la fe, los valores de una familia y el amor, no de palabras, sino de ejemplo.

Dormíamos temprano, no veíamos novelas, no íbamos a la casa de "amiguitas" de escuela y, por eso, crecimos dentro de un hogar puro y lleno de respeto. Tú podías no estar siempre

Nuestro objetivo siempre fue el mismo desde el principio: guerrear contra el mal con todas las fuerzas. El libro *Orixás, caboclos e guias* [Orixás, caboclos y guías] abrió los ojos de mucha gente.

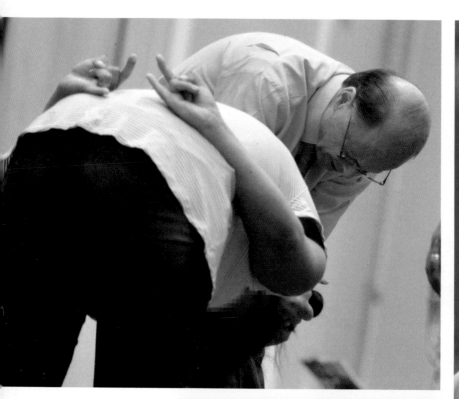

Momento de fe y
alegría: después
de empeñarme
en liberar
espiritualmente a
una fiel, recibí un
conmovedor abrazo
de agradecimiento.

Después de las plazas
y los cinemas, decidí
ser osado. Primero
fue el Gimnasio del
Olaria. Luego el
Maracanãzinho y el
Maracaná, en Río,
con el propósito
de atraer gente
angustiada, sedienta
de fe, para recibir el
Espíritu Santo.

Caravanas de todo Brasil enfrentaron el intenso calor del verano carioca. Más de 250 mil fieles transformaron el Maracaná en un gran templo de la Iglesia Universal.

En abril de 2010, el evento bautizado como "Día D" batió récords de público jamás alcanzados: sólo en la ensenada de Botafogo, en Río, estaban presentes 2 millones de personas unidas por la misma fe. Una imagen histórica.

Multitudes en Brasil: São Paulo también reunió 2 millones de personas en el Autódromo de Interlagos. En total, más de 8 millones en superconcentraciones simultáneas por todo el país.

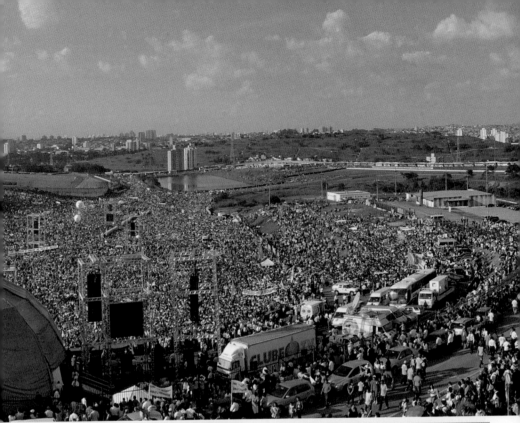

PARANÁ

MINAS GERAIS

Una tragedia en nuestro camino: el desplome del templo de Osasco, en São Paulo, en septiembre de 1998. Me puse de luto por cada víctima. Desde aquel día en adelante, dimos inicio a los proyectos de construcciones de catedrales por todo Brasil y en varias partes del mundo.

El nuevo templo
de Osasco,
inaugurado
algunos años
después de la
fatalidad que
marcó nuestras
vidas.

Respuesta de Dios: las catedrales, construidas con confort y seguridad, transformaron la historia de la Universal.

MINAS GERAIS

CEARÁ

PARAÍBA

Reunión realizada en la iglesia de San Amaro, en São Paulo: el gusto de enseñar el Evangelio continúa latiendo en mis venas.

presente, pero cuando estabas, eras cariñoso y nos hacías sentir verdaderas princesas.

Cuántas veces, mientras tenía una crisis de asma, solo lograba dormir en la cama, en medio de ustedes, y tú, papá, nunca reclamaste ni rezongaste. Cuando despertaba a la mitad de la noche, tú estabas durmiendo en el piso para que yo pudiera dormir bien al lado de mamá.

Son esas pequeñas grandes cosas lo que hace a una familia feliz. No por lo que se da a la familia, no por lo que se hace con la familia, sino por lo que se es con la familia.

Tú, papá, fuiste un padre que lograste representar bien a Dios ante sus hijos. Hoy, yo soy feliz porque conocí a ese Dios que tú me presentaste desde mi primer día de vida.

Mi padre ejemplar, siempre te respeté, y mientras más pasa el tiempo, más motivos me das para admirarte y honrarte para honra y gloria del Señor Jesús.

Te amo.

Cris

Ahora, la carta jamás publicada de Viviane. Otro momento especial vivido por un padre a los 68 años:

Querido papito,

Recuerdo exactamente mi infancia, y como fue delicioso tener conmigo a mi familia, incluso sin saber que me estaba dando todo el apoyo y soporte para lo que enfrentaría al convivir con el mundo.

No todo el tiempo estuviste con nosotros, pero nunca me diste razones para ser rebelde. Las pocas oportunidades en que estabas presente, eras cariñoso y me dabas lo que más necesitaba.

¿Por qué digo eso?

Yo quería mucha atención. Ser la preferida de la casa para cubrir la ausencia de aceptación de las personas.

Innumerables veces era reprendida por mamá, por ser rebelde en mi interior, debido al rechazo de no ser aceptada en la escuela y en otros lugares. Pero aquella disciplina me traía la seguridad de saber que no estaba sola, de que había alguien luchando por mí. Además de eso, mamá siempre fue muy cuidadosa, presente y cariñosa. Era notorio su celo.

Te vi, diversas veces, observando mi agonía al ser reprendida por mamá. Y eso me cautivó, me llevó a amarte.

Yo vi a un padre que veía mi alma, mi dolor, mi agonía al ser tan "masacrada" por mis "defectos". Tú siempre estabas ahí, presente, con tus palabras confortantes.

Tú no eras solo pastor de la Iglesia, también de la casa.

Aquellas palabras tuyas tenían algo detrás, padre. Tenían espíritu y vida. Tú veías mi alma, aun siendo niña. Tú dabas lo que yo necesitaba.

Y pregunto: ¿cómo me conocías si yo no decía lo que había dentro de mí? ¿Cómo hablabas lo que yo necesitaba escuchar? ¿Cómo suplías mi necesidad si pasábamos tan poco tiempo juntos? ¿Cómo, si yo nunca compartí mis aflicciones?

Yo era muy reservada con lo que había en mi interior. No sabía que tenía la oportunidad, el poder de hacerme libre.

Ese es el pastor al que me refiero. Tú fuiste el pastor de mi alma. Hiciste exactamente lo que hacías en la iglesia. Atendiste mi necesidad, me guiaste con tu ejemplo.

Yo te amaba sin saberlo expresar y sin decir esas palabras. Llenarte de besos, en las pocas oportunidades que pasábamos juntos, era la única forma como sabía expresarme. Pero nunca supe decir nada de lo que me sucedía.

Tú conoces a Dios, porque te viste a ti mismo como un alma necesitada, y solamente así tuviste ojos para ver a otras almas. Tú me diste lo que el mundo y su tiempo no me dieron: la respuesta para la salvación de un alma afligida.

Y es por ese motivo que te amo mucho más de lo que imaginas.

Hoy, veo en quién me convertí. Soy fruto de un matrimonio que vive en sintonía con Dios, que me enseñó a ser equilibrada, disciplinada y, sobre todo, feliz.

Gracias por haber visto mi alma, papá.

Yo te amo y te amé porque vi en ti un referente. Por eso entendí todo lo que hiciste y lo que estabas dispuesto a hacer porque siempre fuiste el mismo: ¡alguien que ama a las almas!

Besos,

Vivi

MATERNIDAD DIVINA

Una multitud, innumerable, estaba reunida para asistir al primer *show* de una banda de *rock* realizado en un estadio abierto. Los Beatles eran un fenómeno mundial. El estadio de béisbol Shea Stadium, en Nueva York, en Estados Unidos, batió récord de público, con más de 55 mil fans de la banda inglesa. Las escenas del concierto, en agosto de 1965, no salieron de mi memoria durante los años siguientes. Tenía solo 20 años y había acabado de vivir el momento más importante de mi existencia: mi encuentro con Dios.

Las imágenes provocaron en mí una indagación constante: "¿Cómo un grupo musical es capaz de juntar tanta gente, y las iglesias solo hay un puñado de 200 o 300 personas? Ellos únicamente transmiten emoción y una felicidad momentánea. ¡No es justo que un encuentro de fe, para rescatar afligidos, no logre lo mismo o más! ¡Dios es grande y necesita mostrar que nadie es mayor que Él!".

Esa intención me persiguió durante los primeros años después de nuestra fundación, hasta tener el valor de rentar el Gimnasio del Olaria, en Río de Janeiro, para realizar la primera concentración de la historia de la Universal. Funcionó. Más de 7 mil personas llenaron los espacios de la arena. La mayoría permaneció como miembro fiel de la Iglesia Universal.

El camino estaba abierto.

En ese exacto día, sufrí con el estado de salud de Viviane. Ella iba a cumplir 4 años, aún cargaba las secuelas del labio leporino, cuando contrajo una grave inflamación en la boca. Sus heridas se extendían de la lengua al esófago, de acuerdo al diagnóstico de los médicos.

—Muchas veces, daba la impresión de que ella iba a morir. No lograba comer nada, ni leche ingería —recuerda Ester, como si viera una película en su memoria.

Regresamos del médico el viernes y, el sábado en la tarde, pensativo y tenso, salí de casa rumbo al Gimnasio del Olaria con mi hija gritando adolorida.

—Cuida a Viviane, Ester. Hay mucha gente sufriendo esperando esta reunión. El Señor va a proteger nuestra casa. Él está viendo nuestro sacrificio —le dije, al partir.

Nada me detendría. Mi alianza era con Dios.

Después de las plazas y los cinemas, decidimos ser osados. Quería hacer algo notable, capaz de atraer más gente angustiada y sedienta de la fe enseñada por la Universal. Yo estaba seguro de que podríamos ayudar a levantar un número mayor de vidas.

En septiembre de 1980, ya en la sede de Abolición, otro paso crucial: decidimos organizar la primera concentración en el Gimnasio del Maracanãzinho. En aquel tiempo, el lugar solo se llenaba completamente en los principales juegos de la Selección Brasileña de voleibol o en *shows* de artistas consagrados.

Yo acepté el desafío. Junté a los pastores y les dije cuál sería nuestra meta.

—¡Atención! ¡Vamos a llenar el Maracanãzinho! ¿Quién tiene fe para acompañarme? —pregunté, seguido por el entusiasmo de los otros predicadores.

Invitamos al público de las demás sedes para el mayor culto de liberación espiritual jamás realizado en Brasil. Un grupo de personas con credos religiosos distintos, que nunca había oído hablar de la Iglesia Universal, pasó a ver el resultado funcional de ese trabajo. Subí feliz al palco, armado sobre un modesto entablado de madera, la tarde de aquel domingo. Más de 30 mil personas llenaron el gimnasio. Un día que para mí dejó huella y para quienes tuvieron el privilegio de participar de ese momento tan entrañable.

La marcha se intensificó. En los años siguientes, llenamos el pequeño estadio de fútbol del Bangu, conocido como "Moça Bonita" [Muchacha Bonita], y organizamos hasta dos o más concentraciones anuales en el Maracanãzinho. En noviembre de 1984, en otro gran evento en el gimnasio más grande de Río, promoví un ayuno dirigido al recibimiento del bautismo con el Espíritu Santo.

Curiosamente, sin al menos conocerme, tres de nuestros principales obispos de hoy estaban juntos aquel día. Romualdo Panceiro, Clodomir Santos y Sérgio Corrêa, cada uno enfrentado sus propios dramas y aprietos, tuvieron experiencias con Dios que quedaron marcadas esa misma tarde de sábado.

—La indignación espiritual del obispo llamaba mi atención. ¿Cómo le hablaba así a Dios? ¿Qué autoridad era esa? Yo quería esa convicción desmedida para cambiar mi vida — recuerda Romualdo, quien tenía 17 años en ese entonces, cuando logró encontrarse con Dios.

—La verdad transmitida en aquellas palabras movieron mi interior. Yo estaba vacío, incompleto, perdido, pero con un deseo ardiente de encontrar una solución. Yo quería tener a Dios dentro de mí —afirma Clodomir, bautizado con el Espíritu Santo.

La semana anterior, por la radio, definimos un ayuno de siete días para que cada participante se vaciara de sí mismo, es decir, negar sus propios deseos para practicar las enseñanzas del Evangelio. Antes o después del trabajo, yendo o viniendo de cualquier compromiso, el trato era doblar sus rodillas en el altar de Abolición, por algunos minutos, y pedir una nueva vida.

La unión de esfuerzos sopló el Espíritu Santo y generó hombres y mujeres usados por Dios para despedazar la artillería del infierno en todo el planeta.

¡Qué recuerdos tan espléndidos!

Nuestra visión, a partir de ahí, pasó a enfocar otro punto de vista más desafiante: el Maracaná, en aquella época el estadio más grande del mundo. El Maracanãzinho no soportaba más nuestro tamaño. Yo sabía que ya teníamos estructura para esa prueba de valor.

Dios nos honraría.

Los obstáculos eran políticos. En uno de nuestros últimos encuentros en aquel gimnasio, en mayo de 1986, di un recado directo para quienes ya ensayaban perseguir a la Iglesia Universal.

—El Maracanãzinho ha sido pequeño para nuestras reuniones desde hace varios años. Muchos me dicen: "Ah, obispo Macedo… Cómo me gustaría que esa reunión fuera en el Maracaná". Yo también, inmensamente. No queremos nada gratis. Vamos a pagar, pero, aun así, hacen mil y una restricciones porque dependemos de la política. Les ofrezco disculpas. El año que viene, la política cambiará y esta situación también. Nosotros vamos a estar en el Maracaná —anuncié, a través del sonido del gimnasio.

El año posterior, las urnas eligieron un nuevo gobernador para Río de Janeiro. Leonel Brizola dejó el cargo para dar el relevo a Moreira Franco. Fue entonces, en abril de 1987, año en que la Iglesia Universal completó una década, el período más inolvidable de todas nuestras concentraciones.

El Maracaná, por primera vez, sería poseído por un pueblo más fervoroso y fiel que cualquier grupo organizado de aficionados de fútbol. El Viernes Santo, tradicional festivo religioso, había sido escogido para el legendario "Duelo de los dioses". El nombre tenía un objetivo estratégico: profundizar la fe de quien presenciaría la confrontación entre el Dios de la Universal y los dioses de este mundo.

Así ocurrió: más de 200.000 personas tomaron las gradas del Maracaná, tres horas antes del inicio del evento. Muchas familias llegaron cuando las puertas aún estaban cerradas. En los estacionamientos, automóviles y autobuses de caravanas estaban en hileras.

—Yo viajé desde São Paulo durante varias horas seguidas. Partimos la noche anterior liderando un grupo de la Iglesia. Enfrentamos el calor sofocante de Río con una fe que se contagia —cuenta el obispo Renato Cardoso, mi yerno, aún obrero en aquel tiempo.

—Mi mamá me llevó. Estaba tan cargado de fuerzas malignas que dormí todo el tiempo y solo desperté cuando el obispo se despidió. Antes de irnos, recibí un himnario de una obrera. Era una semilla. El Espíritu Santo usaría al obispo para transformarme por completo —recuerda Guaracy Santos, hoy obispo responsable por la caravana "Duelo de los dioses", aún activa por todo el mundo.

Nunca antes, ningún movimiento religioso había logrado llenar el Maracaná.

Cuando puse mis pies en el césped y miré alrededor del estadio, mi corazón latió más fuerte. Pancartas y carteles de la Universal, de diferentes lugares, esparcidos en todas direcciones. Obreros y pastores alineados entre el increíble conglomerado de gente.

Ningún espacio vacío. Caminé lentamente en dirección al palco. Mi rostro resplandecía.

Hoy, al recordar ese escenario, revivo una satisfacción interior indecible. No por la vanidad de llenar el entonces estadio más grande del planeta, sino porque Dios había contado conmigo. Yo apenas quería eso: ser usado por el Espíritu de Dios para esparcir la salvación en un mundo tan lleno de dolores y angustias.

El público aguardaba el duelo. Fui enfático desde el inicio:

—Dios nos colocó en este mundo con autoridad espiritual. La misma autoridad dada al Señor Jesús. Él no pidió a sus discípulos que oraran por los enfermos o endemoniados, sino que dio órdenes para "sanar a los enfermos" y "expulsar a los demonios".

Los espíritus engañadores, los mismos que eran avergonzados en las corrientes de liberación de la Universal, cayeron de rodillas por centenares. En cada parte del Maracaná, hombres y mujeres, jóvenes, adultos o ancianos, manifestaban con entidades malignas.

Gritos de alegría y los aplausos de la multitud se mezclaban con la voz de quien corría hasta una plataforma, instalada cerca de las gradas, para contar su experiencia de milagro.

Después, fue la hora de agradecer a Dios.

—Cuando hay algún evento grande como este, especialmente en el Maracaná, existen aquellas presentaciones tan comunes: "Aquí está el doctor fulano, presidente tal…" o "aquí está el excelentísimo fulano de tal"… ¡Pero aquí, no! ¡Todos estamos reunidos en el nombre de Jesús! Porque los doctores fulano, zutano o mengano no pueden ayudarle a usted, a mí, o a alguien, pero el Señor Jesucristo puede y va a hacer eso esta mañana.

Los aplausos resonaron rápido.

—Olvide lo que usted hizo hasta las nueve de la mañana de hoy. A partir de ahora, usted tiene la oportunidad de comenzar una nueva vida. En este momento, Dios quiere hacer eso en usted. Dios quiere su vida. No piense que Dios está allá en lo alto distante de su miseria, dolor y maldición. ¡No! Él está aquí justo ahora —proseguí, ante el silencio del público.

Y cerré mi prédica inyectando fe y lo más importante: la semilla de la salvación.

—No importa su religión. Termine con ella, sea cual sea: evangélica, católica, espiritualista, no importa. Pise en ella y sea libre. De qué sirve usted aplaudir y salir de aquí con la misma vida. ¡No! Esto no es un *show*. Golpee en su pecho y diga: "¡Jesús, yo te quiero ahora!".

El voluminoso evento en el Maracaná sería apenas el comienzo. Ocho meses después, decidimos volar más alto: promover otra concentración, esta vez, simultáneamente en el Maracaná y en el Maracanãzinho.

EL DESCENSO

E staba consciente de que las corrientes de sanidad y liberación, restauración de la familia y prosperidad financiera aglutinaban multitudes en la Iglesia, pero solamente se afirmarían a partir de una conversión genuina. Los nuevos seguidores necesitaban al Espíritu de Dios para guerrear contra sí mismos y afirmarse en el camino de la entrega total.

Dos días después de la Navidad de 1987, organizamos la mayor concentración de público en aquella época. Tuvimos la inspiración de abarrotar el Estadio Maracaná y el Gimnasio del Maracanãzinho, juntos, con un objetivo noble: invocar el descenso del Espíritu Santo.

La invitación dio resultado: más de 250.000 fieles transformaron las dos principales arenas deportivas de Río de Janeiro en un gran templo de la Universal.

Caravanas de todo Brasil enfrentaron el calor del verano carioca. Ante la expectativa del comienzo de la gran reunión, los tres marcadores electrónicos del Maracaná anunciaban lo que venía enseguida. Yo pedí que escribiesen el siguiente mensaje:

"Dentro de poco el Espíritu Santo va a descender".

El panel exhibía la expectativa de millares de personas.

—Yo era una de ellas. Salimos de nuestro barrio a las tres de la mañana para conseguir espacio para sentarnos. Cuando el locutor oficial del estadio, el mismo que narraba los partidos de fútbol, leía el mensaje, era algo intenso. Provocaba una especie de "escalofrío" —recuerda, de buen humor, el obispo Sérgio Corrêa, actualmente en el liderazgo espiritual de los obreros y del trabajo de rescate de los fieles apartados.

Yo dirigí el culto en el Maracaná, Renato Maduro en el Maracanãzinho. Nuestra principal preocupación era llevar a una multitud de hombres y mujeres al bautismo celestial.

—El Espíritu de Dios está a su disposición hoy, ahora. Él está listo para hacer de usted una nueva criatura. Él quiere habitar dentro de usted. Y si mataran su cuerpo, jamás podrán lastimar su espíritu. Este será su mayor tesoro.

Mis palabras fueron seguidas por la búsqueda memorable del mayor de todos los milagros. Momentos intensos de intimidad. Imagino cuántos nacieron del Espíritu Santo aquel 27 de diciembre.

Un día que permanecerá en la memoria.

La arena de las playas de Río de Janeiro también se convirtió en escenario de eventos de gran porte. Una de ellas quedó marcada por un hecho inédito: se llevó a cabo sin sonido. Así es: organizamos una velada de oración en la playa Copacabana para más de 600.000 presentes, pero, pocas horas antes del inicio, la asociación de vecinos del barrio logró una orden judicial prohibiendo la emisión de ruido en nuestra concentración.

El evento fue transmitido solamente por Radio Copacabana. Los miembros y obreros se juntaban en grupos, alrededor de aparatos electrónicos de pilas, pequeños o grandes, para escuchar mis palabras dichas en el palco armado sobre la arena. La escena causó extrañeza en quienes caminaban por el malecón. Una aglomeración de individuos, la mayoría del tiempo en silencio absoluto, perfilados, mirando hacia el frente.

Al romper el alba, la multitud aún permanecía en la playa.

La silenciosa madrugada provocó un ruido ensordecedor en el infierno.

Esto fue seguido por docenas de grandes concentraciones durante varios años, impresionando a especialistas en religión, autoridades y prensa, lo que provocó persecuciones jamás imaginadas a la Iglesia Universal, como descubriremos más adelante.

Récords de público en otros estadios, decenas de veces, en el Morumbi y en el Pacaembu, en São Paulo; en el Fonte Nova, en Salvador; en el Mineirão, en Belo Horizonte; además del Pinheirão, en Curitiba; y del Mané Garrincha, en el Distrito Federal. La cantidad de gente era comparable solamente al público de los clásicos de fútbol de esas ciudades.

Desde el inicio, avanzamos a una fase de crecimiento asombroso en Brasil.

El impulso hacia adelante fue veloz. En ocho años, ya había 195 templos en 14 estados brasileños y en el Distrito Federal. En promedio, 24 templos por año, dos cada mes. Uno cada 15 días. Al final de los años 1980, el número de templos creció un 2.500 por ciento.

En menos de tres décadas, la Iglesia Universal se transformó en el más sorprendente y exitoso movimiento de fe del país. Ninguna otra iglesia evangélica brasileña había crecido tanto en tan poco tiempo.

Adoptamos un célebre slogan que marcó época: *"Igreja Universal do Reino de Deus: onde um milagre espera por você"* [Iglesia Universal del Reino de Dios: donde un milagro le espera].

Cinemas pornográficos se convirtieron en Universal. Sitios donde se practicaba el *candomblé* se convirtieron en Universal. Templos del Vaticano se convirtieron en Universal. Templos evangélicos se convirtieron en Universal. Centros nocturnos se convirtieron en Universal. Teatros y salones en todo Brasil se transformaron en espacios para orar.

En pocos años, con el avance de la década de 1990, llegamos a tener más de 4 mil iglesias de norte a sur del país. En cada municipio, pobre o rico, en los centros urbanos o en las zonas rurales, existe una Universal. Actualmente, son más de 10.000 templos en todo el territorio brasileño.

La concreción del proyecto de ganar almas perdidas, la liberación espiritual, la televisión, la radio y la dedicación 24 horas al día de mis compañeros y de mí hicieron estallar la Universal. Todo bajo la conducción del Espíritu de Dios.

Hoy no existe un estadio en el mundo capaz de soportar nuestros mega eventos. En abril de 2004, realizamos uno de los más numerosos: 1,5 millones de fieles abarrotaron el Aterro do Flamengo. En abril de 2010, el evento bautizado como "Día D" rompió nuevos índices jamás alcanzados: dos millones de personas en la Enseada de Botafogo, en Río, y dos millones en el Autódromo de Interlagos, en São Paulo. En total, más de ocho millones en superconcentraciones simultáneas en todo Brasil.

Completamos una jornada de 36 años con marcas impensables, por obra y gracia de nuestro Dios. Las frases del marcador electrónico del Estadio Maracaná se hicieron realidad en millones de seres humanos.

El Espíritu Santo descendió en los lugares más distantes del mundo.

LÁGRIMAS SIN RESPUESTA

En medio de tanto crecimiento, enfrentamos ciertos obstáculos incomprensibles. Y obtuvimos experiencias inolvidables a la luz de la vida por la fe.

Era sábado, día 6 de septiembre de 1998, a las tres de la mañana. Estaba exhausto, acababa de llegar a la exsede de la Iglesia en Juquitiba, en el interior de São Paulo, después de una semana repleta de reuniones.

—¡Obispo, ocurrió una tragedia! Se vino abajo el techo de nuestra iglesia en Osasco. Nadie sabe qué pasó —me contó, angustiado, el obispo Clodomir Santos, quien interrumpió su presentación en el programa "Fala que eu te escuto" [Habla, yo te escucho] para retransmitirme la información urgente.

—¡Dios mío!, ¿qué pasó? ¿Hay víctimas? ¿Cómo está nuestro pueblo?

Clodomir estaba aturdido:

—Nadie lo sabe. Los bomberos están intentando rescatar a los heridos. Aún hay gente entre los escombros. La iglesia estaba llena.

Llegamos a Osasco menos de una hora después. El escenario era devastador. Cuerpos siendo rescatados de en medio de los destrozos, sirenas y luces de los carros de bomberos, gente ensangrentada atendida por los equipos de auxilio, familiares llorando.

Bajé del automóvil, mire todo aquello y me derrumbé. Me quité los lentes y lloré. Las lágrimas descendían rápidamente de mi rostro. Solo tuve fuerzas para preguntar dentro de mí:

—¿Por qué? ¿Por qué, Dios mío?

¿Cómo entender tantas muertes? ¿Dónde estaba la protección divina? Las víctimas estaban orando, en velada, buscando la presencia de Dios.

Era una situación inimaginable.

El desplome en la exsede en el centro de Osasco dejó 24 personas muertas y más de 467 heridas. Más de 1.400 fieles acompañaban el culto, cuando cerca de la 1:45 de la mañana casi un tercio del techado cayó. El techo del edificio no tenía losa, estaba sostenido solo por una estructura de madera, lo que provocó innumerables heridas en quien estaba en el salón.

En el momento del desplome en la parte localizada al fondo del templo, la multitud clamaba. Todos habían acabado de oír una prédica sobre la necesidad del arrepentimiento para la conquista de la salvación eterna. En poco tiempo se dirigieron al lugar 40 vehículos y más de 180 hombres del Cuerpo de Bomberos, tanto del municipio de Osasco como de la capital paulista.

Muchos obreros y participantes de la velada permanecieron en el lugar ayudando a trasladar a las víctimas a las salas de urgencia. Otros corrieron hacia el Hemocentro de Osasco [Banco de Sangre de Osasco] para donar sangre. La solidaridad fue inmensa, y, en poco tiempo, el hospital ya no tenía capacidad para atender a los donadores. Fue necesario canalizarlos al Hemocentro do Hospital das Clínicas [Banco de Sangre del Hospital de las Clínicas], en São Paulo.

El templo funcionaba perfectamente conforme a la ley. El permiso de uso de suelo, concedido por el gobierno local, era la prueba de que anteriormente no había problemas con el edificio. Los peritos presentaron nuevas pruebas.

—Mostramos que el suelo lodoso y las obras cercanas influyeron en la caída. No hubo negligencia —afirmó nuestro abogado Arthur Lavigne.

Periódicamente, nuestros templos eran sometidos a un riguroso servicio de mantenimiento. Aquel edificio rentado por la Iglesia hace seis años no fue la excepción. En ese mismo momento, ordené medidas de atención y solidaridad para las víctimas y sus familias. Me aseguré de asistir personalmente al funeral colectivo en el gimnasio de la ciudad.

Aún durante la madrugada del accidente, conforté a las familias que habían perdido a sus seres queridos. Recorrimos diferentes hospitales a donde los heridos fueron trasladados. Visitamos las salas de urgencias a donde las víctimas fueron llevadas. Oramos por cada madre, padre e hijo de quienes se fueron.

Nos enlutamos con cada uno de ellos. El dolor de cada uno se convirtió en mi dolor.

Ya al amanecer, afligido, llegué a casa sin comprender la explicación a tanto caos. Pocas horas después, participé en vivo de un programa especial en TV Record y, llorando, hice una especie de pronunciamiento:

—Nuestros corazones están llorando. Lamentamos profundamente ese accidente. Nos sentimos como si fueran nuestros seres queridos. Estuvimos en el lugar y atestiguamos el dolor y la agonía de las personas. Lo que ocurrió fue algo inevitable. No sabemos por qué ocurrió.

No sé cómo ni por qué pasó. Solo sé algo: no fue castigo de Dios, porque Él no es un monstruo. Solamente lo permitió y no sé por qué.

El pueblo participaba de una velada. Es realmente algo que huye de nuestra capacidad, de nuestra inteligencia. No tengo una respuesta —finalicé, cerrando el programa con una oración por el municipio de Osasco.

Desde aquel día en adelante, comenzó un revés en la historia de la Iglesia Universal. Ordené la interrupción de la renta de muebles antiguos, sin una rigurosa evaluación estructural. Dimos inicio a decenas de proyectos de construcción de catedrales en todo Brasil y en varias partes del mundo. Construimos una sucesión de templos enormes, diseñados con la comodidad y, sobre todo, la seguridad de nuestro propio departamento de ingeniería.

Solamente en Brasil, ya construimos 83 catedrales en regiones distintas. Casi siempre, destacan entre los edificios más bellos y grandiosos de cada ciudad.

Aún hoy, 15 años después del terrible accidente, continúo sin ver la lógica en todo lo que ocurrió. No sé explicar la razón espiritual de una tragedia tan dolorosa. Pero eso no disminuyó mi fe en Dios y la confianza absoluta en Su Palabra.

Muchos hombres y mujeres, obreros o miembros, cargan las cicatrices de aquellos momentos de horror en el cuerpo y en la mente. La mayoría, aun después de la pérdida torturante de familiares y amigos, se mantuvo fiel al Dios que servimos, aunque sin entender los motivos de tanto dolor.

Son cuestionamientos que muchos cargarán hasta la muerte, pero que no les quitan la convicción de su fe. Un ejército de valientes. Un ejemplo de fidelidad y perseverancia.

Ellos, como yo, repetimos la convicción del apóstol Pablo. Lo que declaré, el día siguiente al ver tanto sufrimiento en la madrugada de Osasco, continúa firme dentro de nosotros: "Ahora bien, sabemos que Dios dispone todas las cosas para el bien de los que lo aman [...]" (Romanos 8:28).

ESTRELLAS EN EL DESIERTO

Una de las vistas más espectaculares del cielo, tachonado de estrellas, sucedió en la cima del Monte Sinaí, en el desierto egipcio. Fueron tres días con una alimentación únicamente a base de pan y agua, en compañía de otros obispos y algunos beduinos, los habitantes de aquella región árida de Asia y África.

La experiencia fue inolvidable. Contemplamos el horizonte infinito desde el mismo punto de vista de Abraham. Tuvimos el privilegio de admirar la luz de las estrellas, gracias a la claridad del cielo en esa ubicación completamente aislada. Una nube de astros con luz propia. Unos más grandes, otros más pequeños, pero todos con una luminosidad capaz de clarear la montaña en el desierto. Meditamos en la Palabra de Dios. Meditamos en el carácter de Abraham y en su modelo de fidelidad. Él es mi mayor referente en la Biblia desde que me entregué al Evangelio.

Hicimos relevos para cumplir la promesa de orar cada hora. Cada 60 minutos, un obispo o su esposa levantaba un clamor por quien había sacrificado en nuestra campaña de fe. Hicimos una hoguera para quemar los pedidos del pueblo, traídos en enormes volúmenes desde Brasil.

La subida fue agotadora. Más de cuatro horas de caminata en terreno empinado y tapizado de piedras. En cierto tramo de la subida, tropecé y sufrí una herida que sangraba. No renunciamos a llegar a la cima. La temperatura era otro obstáculo. De día, calor sofocante y, de noche, el frío inclemente de tiritar los dientes. La sensación térmica hacía la madrugada aún más helada. El suelo húmedo del monte impedía el sueño prolongado.

La comida era preparada por los beduinos: pan cocido en el momento, en el piso de piedra. Las uñas sucias y enormes eran un mero detalle. Ester permaneció casi dos días sin comer. Solo aceptó un pedazo de pan después de yo haberlo mojado en aceite de oliva. No había lugar para la higiene. Como no había ningún retrete, íbamos atrás de las piedras.

El mismo objetivo de subir el Monte Sinaí, nos lleva, anualmente, a los lugares sagrados de Israel: invocar a Dios a favor del pueblo, de la Iglesia Universal y de mí. Esa jornada comenzó, en diciembre de 1979, cuando puse mis pies por primera vez en Tierra Santa. La experiencia dejó huella. El exobispo Rodrigues y yo encontramos a un conductor árabe dispuesto a vender una gran cantidad de aceite a precio bajo.

Decidimos aprovechar la oportunidad para llevar uno de los símbolos de fe más usados en las iglesias en Brasil: el aceite. Compramos 40 litros del líquido en dos envases enormes. El día de nuestro vuelo, fuimos detenidos en el aeropuerto para una revisión minuciosa. Los guardias de seguridad querían saber la procedencia del aceite árabe. Fue un tremendo interrogatorio, con revisiones de todo, que solo terminaron cuando llegó la hora de entrar al avión. El aceite solo fue liberado instantes antes del embarque.

A lo largo de los años, regresé innumerables veces a Israel, pero siempre como si fuera la primera vez. En cada lugar visitado, percibo al propio Dios hablando algo especial en mi interior. En el Monte Moriah, el Muro de los Lamentos, la Fuente de Gideon, el Jardín de los Olivos, el Río Jordán, el Cenáculo, el Santo Sepulcro. La ida del día 14 de abril de 2013, por ejemplo, proporcionó una experiencia completamente nueva.

Subimos la montaña más alta del territorio israelita: el Monte Hermón. Está situada en la frontera entre Israel, Líbano y Siria y es considerada por el ejército israelí como un punto estratégico: los ojos de Israel. En la Biblia, es descrito como el lugar de la transfiguración, de la consagración del Señor Jesús. El Hermón es claramente citado por el salmista David: "¡Qué bueno es, y qué agradable, que los hermanos convivan en armonía! Es como el buen perfume que resbala por la cabeza de Aarón, y llega hasta su barba y hasta el borde de sus vestiduras. Es como el rocío del monte Hermón, que cae sobre los montes de Sión. Allí el Señor ha decretado para su pueblo bendición y vida para siempre" (Salmos 133:1-3).

Una mañana de domingo, entramos en vivo, en diversos horarios, para la Universal en todo el mundo. Frente al valle y ante millones de espectadores, lancé un desafío:

—Si yo soy un engañador y un villano, como me califican, nada ocurrirá en este momento. Pero, si yo soy siervo del Dios Altísimo, el Espíritu Santo descenderá sobre usted ahora. Su vida nunca más será la misma. El desafío fue lanzado.

Levanté las manos en la cima del Monte Hermón. Pequeños pájaros rodearon el monte, justo encima de nuestra posición. El sobrevuelo de esa especie animal es raro a esa altitud. En las iglesias, el silencio lleno de temor. Nada de música. La emoción no encontró espacio. Un intenso momento de oración continuó sin parar.

Ese mismo día, horas más tarde, por medio de mi blog, millares de personas relataron sus experiencias íntimas con el Espíritu Santo. Otras compartieron el milagro con sus amigos y familiares.

Antes de finalizar nuestra participación, unimos un clamor por Israel.

Las subidas a los montes, de hecho, siempre dejaron marcas en nuestra historia. En Escocia, la escalada del Monte Ben Nevis, el más alto de Reino Unido, fue una de las experiencias más terribles de mi vida. Solamente acepté el esfuerzo para intentar mantener abiertas las puertas de un importante templo en Londres, en el barrio de Peckham. La iglesia solo podría mantenerse ahí, después de diez años en la misma dirección, si comprase el edificio. El desafío, un procedimiento muy común en Inglaterra, ayudaría a reunir recursos para la adquisición del inmueble.

En noviembre de 2007, más de 50 personas, entre ellas mi hija Cristiane y mis yernos, Renato y Júlio Freitas, partimos rumbo a la peligrosa expedición. Subimos durante la temporada más fría del año. El recorrido parecía imposible: lluvias y tormentas de nieve en un trayecto lleno de trampas. El piso estaba resbaloso debido a la gran cantidad de hielo. El desgaste físico era triplicado. A cierta altura, Cristiane empezó a sentirse mal debido al fuerte cansancio en las piernas.

—Regresemos, Cristiane. Yo regreso contigo —le imploré, con el viento helado golpeándonos el rostro.

—No, papá. Yo prometí que subiría. Lo prometí —respondió.

—Pero no te sientes bien, hija. Bajemos —insistí.

Yo mismo estaba decidido a bajar. La tormenta empeoró. Caminaba con dos pares de guantes puestos, pero no era suficiente para proteger las manos del frío. El peligro era real: por año, en promedio, cinco aventureros mueren intentando escalar el Ben Nevis.

No regresamos. La subida llevó más de seis horas. En la cima del monte, la temperatura bajó a menos nueve grados centígrados. Renato aún se dispuso a realizar un casamiento en la cima de la montaña.

—Amén, amén. Ustedes están bendecidos —interrumpí la oración del matrimonio, ansioso por iniciar el descenso.

Y fue cuando viví un susto traumático. Yo iba al frente del grupo, ya sin guía, con dos obreras siguiendo mis pasos. De repente, de un momento a otro, sentí una debilidad incontrolable. La debilidad se agravó cada vez más, poco a poco. Me desmayé.

En la caída, golpeé mi cabeza con una piedra. Parecía que mis piernas habían desaparecido. Vi la muerte cara a cara. El estado de inconciencia duró algunos segundos. Tuve una crisis de hipoglucemia que robó totalmente mi vigor. Pronto, una de las obreras vino corriendo hacia mí y, por intervención divina, colocó en mi boca un trozo de chocolate mordisqueado. Por minutos, no morí. Logré continuar la caminata hasta llegar al final.

El resultado es siempre el mismo: a cada subida, avanzamos en nuestro camino de realizaciones juntamente con quienes luchan con nosotros. No medimos esfuerzos para ver el éxito de las personas. Ese es nuestro placer. Nuestra recompensa. Nuestro salario.

Otro riesgo que enfrenté fue en una de las primeras subidas al Monte Sinaí. El sol estaba en su punto máximo cuando el camello que me cargaba cayó de un momento a otro. Los dromedarios pueden ir solo una parte de la ruta. En un acto reflejo, uno de los obispos me sostuvo de la camisa y evitó que cayera del desfiladero. Fueron más de cinco horas de difícil caminata después del susto.

Recuerdo aquel día como si fuera hoy. Caminé cargando bajo los brazos montones de hojas de exactamente 32 acciones criminales contra mí y la Iglesia Universal. Organizamos una lista con los nombres de quienes nos atacaban con denuncias infundadas. Subí el Sinaí llorando. El llanto era de dolor e indignación contra las falsas acusaciones.

En la cima del monte, al lado de mis compañeros, extendí los procesos hacia el cielo y clamé por el libramiento. Suplicamos justicia. Era necesario tomar decisiones drásticas. Y Dios nos honró.

Uno a uno, poco a poco, todos los procesos y averiguaciones criminales fueron vencidos. De acuerdo con la Justicia brasileña, la mayor parte por ser inocente o archivado por falta de pruebas.

La respuesta vino desde el Monte Sagrado.

Sin embargo, para entender el sufrimiento que llevamos a la cima del Sinaí, que nos hizo reivindicar de Dios una respuesta urgente, es necesario retroceder en el tiempo.

Prepárese para conocer episodios difíciles de creer.

CAPÍTULO 3

EL DESAFÍO DE SOBREVIVIR

"Ustedes pensaron hacerme mal, pero Dios cambió todo para bien, para hacer lo que hoy vemos, que es darle vida a mucha gente."

(Génesis 50:20)

LA LIBERTAD EN EL PAPEL

El avance extraordinario de la Iglesia Universal acumuló un contingente sin fin de hombres y mujeres gratos a nuestro trabajo evangélico y, sobre todo a la compasión divina, pero también enfiló enemigos en diferentes frentes.

Tanto crecimiento incomodó a los grupos religiosos conservadores, habituados a las influencias de la sotana y a la esclavitud de la mentalidad del pueblo. La compra de Record topó de lleno con los varones de los medios masivos de comunicación, intocables y superpoderosos, acostumbrados a una influencia promiscua en distintas esferas del poder.

La previsión era exacta: el monopolio de la religión y de la comunicación estaba amenazado. Mirábamos hacia delante. Brasil necesitaba una transformación.

Eso, sin embargo, tendría un precio. Al frente de la Iglesia y de Record, me convertí en el blanco número uno.

Era una época en la que me vi obligado a caminar con un documento de amparo. ¿Y todo por qué? ¡Predicar el Evangelio!

Guardo ese oficio hasta el día de hoy como prueba de los tiempos de humillación y sufrimiento:

PODER JUDICIAL
São Paulo

Proceso número 817/92

Investigación Policial 790/92 – 27 Distrito Policíaco

MANDA a cualquier Oficial de Justicia de este Juzgado, o a las autoridades policiales y sus agentes, ante quien este fuere presentado, yendo firmado por el mismo, que no efectúe prisión a **EDIR MACEDO BEZERRA**, *hijo de Henrique Francisco Bezerra y Eugenia Macedo Bezerra, nacido en Río de Janeiro/RJ el día 18/02/45, casado, pastor religioso contra quien fue expedida orden de arresto, en virtud de haberle sido decretada la prisión preventiva, teniendo en cuenta que por decisión de la Quinta Cámara Criminal del Tribunal de Justicia, el 25/02/93, fue concedida la orden de Habeas Corpus número 140.760-3/0, para revocar la prisión preventiva del acusado, determinada y expedida del presente.*

Lo que se cumpla, bajo pena de desobediencia y responsabilidad.

El 26 de febrero de 1993.

Lidia Marin Conceição Eirsinger
Juez de Derecho.

Mi libertad dependía de un pedazo de papel.

Para salir de Brasil en el intento de cumplir mis compromisos de evangelización, siempre era necesario el consentimiento judicial. Dejé de ayudar a millares de almas en todo el mundo, enseñando la Palabra de Dios, y de recuperar vidas socialmente excluidas —tarea de los gobiernos y autoridades en general—, por tener mi libertad parcialmente eclipsada. A pesar de indignarme con tanta opresión, obedecí las normas rigurosamente.

En algunos casos, hubo abuso por parte de la policía. Como la noche en que un grupo armado de policías civiles, con ametralladoras y revólveres apuntados hacia los miembros y obreros, interrumpieron nuestro culto en la Universal de Brás, en la avenida Celso Garcia, en São Paulo. Uno de los jefes de la tropa le quitó el micrófono al pastor y comenzó a revisarlo cruelmente. Invadieron las oficinas, arrumbaron armarios e incautaron carpetas de archivo y computadoras. El ex obispo Carlos Rodrigues fue llevado esposado a declarar a la comisaría.

El respeto al espacio sagrado de la libertad de culto, ¿no lo garantiza la Constitución de Brasil? Sin respuesta.

Nada encontraron. Indignante.

Cierto día, en el Aeropuerto Tom Jobim, en Río de Janeiro, mi familia y yo nos preparábamos para viajar a Estados Unidos, ya en los asientos, cuando agentes de la Policía Federal me invitaron a descender de la aeronave por medio del sistema de altavoces. Buscaban mi documento de amparo, con la aprobación de salir del país.

Ásperos, obligaron el retraso del vuelo por más de 30 minutos provocando descontento y malestar en nosotros, la tripulación y demás pasajeros. Parecía un acto planeado. Como la aeromoza que derramó café en mi regazo durante uno de mis vuelos. Ester y yo percibimos la maldad hecha a propósito.

Los procesos de supuestos crímenes contra mi nombre formaban montones enormes, me señalaban los abogados. Cualquier eventual acusación o una simple nota periodística era motivo de una nueva averiguación, que me forzaba a prestar declaraciones todo el tiempo.

—La prensa turnaba periodistas exclusivamente para seguir cada paso del obispo. Él subía a un avión o descendía del mismo en el aeropuerto y ya había reporteros allí. Yo lo llevé varias veces a declarar en foros y tribunales. Una presión fuera de lo común —cuenta Marcus Vinicius Vieira, durante largo tiempo, obispo responsable por la Iglesia Universal en Río.

La mayoría de las convocatorias oficiales siempre estaba firmada por el mismo juez: João Carlos da Rocha Mattos.

PODER JUDICIAL
Justicia Federal

CONCLUSIÓN

[...] EDIR MACEDO DE BEZERRA o EDIR MACE-DO BEZERRA, involucrado en la averiguación policial, deberá presentarse aún hoy en esta 4ª Jurisdicción Penal, con la finalidad de firmar un compromiso de asistir a todos los actos de la investigación y eventual enjuiciamiento, bajo las penas de la ley.

São Paulo, 15 de octubre de 1991.

JOÃO CARLOS DA ROCHA MATTOS
Juez Federal de la Cuarta Jurisdicción Penal

La serie de persecuciones no evitó el fortalecimiento de la Iglesia. Al contrario. El 12 de octubre de 1991, organizamos una gigantesca concentración de fe en el Estadio Maracaná, en Río de Janeiro, el mismo día que el Papa ofició una misa a cielo abierto en su visita a Natal, capital de Río Grande del Norte.

Nuestro evento permaneció confirmado varios meses, aún con diversas autoridades gubernamentales presionándonos para cancelar. Yo recibía constantes llamadas de hombres poderosos de Brasilia insinuando que la concentración en el Maracaná parecía una provocación al Vaticano. No me importaba. El objetivo era glorificar al Señor Jesús.

Al regresar de Estados Unidos, donde yo predicaba en una pequeña iglesia en Nueva York, fui llamado por mis abogados para declarar en otra averiguación. Faltaban tres días para la realización de nuestro evento. De un momento a otro, sin embargo, el interrogatorio de la Policía Federal se retrasó.

En la víspera de la reunión en el Maracaná, yo invitaba al público por Radio Copacabana cuando fui avisado sobre una inesperada e inconcebible orden de arresto. El argumento era no haber comparecido a declarar. Difícil de creer, pero estaba siendo buscado por la Policía. Necesitaba presentarme inmediatamente ante las autoridades para evitar el escándalo de una detención pirotécnica.

Apresuradamente, Ester y yo nos dimos a la fuga. Pasé la noche escondido en Niterói. El día del evento, me vi impedido de llegar cerca del Maracaná. Horas antes de la reunión, uno de los pastores me telefoneó para decirme que había agentes federales esparcidos en el estadio, en una emboscada.

—La idea parecía ser arrestarlo dentro del Maracaná, lo que provocaría aún más daños. Era la manera más agresiva de perjudicar la imagen del obispo y de la Iglesia —recuerda el obispo Honorilton Gonçalves, quien vivió todo de cerca.

Mi ausencia no impidió la realización de una concentración magnífica para la gloria del Espíritu Santo. Estuvieron en las gradas del Maracaná más de 150.000 personas mientras, en Natal, el Papa reunió menos de 90.000. Esa comparación, por supuesto, repercutió en la prensa brasileña y hasta en la internacional.

Pasé el fin de semana escondido. Cambié de dirección tres veces. En el asiento del automóvil, cuando pasaba alguien sospechoso, era obligado a esconderme. En la gasolinera, debía bajarme como un marginal. Viví tres días como si fuese delincuente. Mucha gente ni imagina el tamaño de la deshonra que Ester y yo vivimos.

La madrugada del domingo, viajé en automóvil a São Paulo para presentarme en la sede de la Policía Federal, en el centro de la ciudad. Fue un día de declaraciones. Ese lunes, llegué exhausto a casa. Le dije a Ester que había alcanzado mi límite de estar huyendo de la policía. Conversaba con ella sobre la justicia de Dios y cómo estábamos sufriendo por una causa mayor abrazada en nombre de los menos favorecidos.

Decidimos desahogarnos con Dios.

En la noche, poco después de orar, el teléfono sonó:

—Señor Edir, necesito que regrese a la delegación en este momento. El juez está amenazando con no expedir su permiso de libertad, dice que incluso puede mandar otra orden de arresto —informó uno de los abogados.

Horas después de dejar el edificio de la Policía Federal, fui obligado a regresar.

Llegué otra vez, a casa, ya en la madrugada. Parecía un ser inexpresivo. Me veía a mí mismo como un nada, peor que la suciedad de una alcantarilla. Confieso que mis fuerzas se estaban terminando.

Le lloré a Dios.

Yo me preguntaba el motivo de tanta amargura y vergüenza.

Cuando subía el edificio de Radio Copacabana, en Río de Janeiro, soñaba con ser ascensorista. "Él tiene más motivos que yo para ser feliz. Dios mío, ¡quiero ser como ese hombre!", estaba hundido en mis pensamientos. Tan grande era el tormento que agudizaba una voluntad subhumana dentro de mí. A veces, deseaba ser un perro callejero caminando por las calles sin rumbo ni dirección.

Sinceramente, si yo no creyera en mi Dios, me habría dado un tiro en la cabeza o sufrido un infarto. Pensamientos de suicidio fueron soplados a mi mente.

Recordé mi encuentro con Dios. Solo el Señor Jesús me daría fuerzas, me renovaría para enfrentar tanto dolor. La Palabra de Dios no fallaría. Lo que yo perseguía tenía un único objetivo: llevar la salvación a los perdidos, presentar la fe verdadera capaz de transformar vidas por dentro y por fuera.

El Espíritu Santo no podría dar la espalda a mis intenciones.

Mi oración publicada en el periódico *Folha Universal*, en su segunda edición, en marzo de 1992, era la expresión de mi tortura. El título lo decía todo: "Súplica de un atribulado".

"Oh Señor, Dios mío y Padre mío, en este momento de tris-teza y dolor, mi alma se aproxima a Ti.

Es verdad, Señor, que no tengo algo bueno, o digno de ala-banza, para presentarte. Mis hechos, cuando están a la luz de Tu presencia, me avergüenzan.

Señor, inclina Tus oídos a mi clamor ¡considerando los mé-ritos de Tu amado Hijo, Jesucristo! ¿Pueden, acaso, quienes descienden a la sepultura glorificarte? ¿Acaso en las tinieblas se manifiestan tus maravillas?

Pero yo, Señor, aprovecho Tu invitación —que dice: "Invócame en el día de tu angustia; yo te libraré y tú me honrarás"— y hago este pedido: ayúdame, Señor, una vez más, pues mi alma se encuentra perdida.

Extiende el perdón hacia mí y líbrame de la persecución implacable de mis enemigos, que son más fuertes que yo.

Ah, Señor, cuando me levantares de esta tribulación terri-ble, mi corazón no se propone otra cosa que glorificarte para siempre.

Desde ya Te agradezco anticipadamente por todo, en el nombre del Señor Jesucristo.

Amén.

Obispo Macedo"

Un mes después, el 19 de abril del mismo año, publiqué otra oración. Era un pedido de socorro divino:

"¡Oh Señor, Dios mío y Padre mío! ¡Sálvame por amor a Tu nombre! Pues mi vida está al borde de la muerte.

Soy como aquella hoja lanzada por el viento, que es martirizada por el calor del sol. Pisada por las bestias de este mundo, partida en trozos.

Y golpeada nuevamente por el fuerte viento, fui esparcido en pequeños pedazos...

Así es mi vida, totalmente convulsionada, problemas por todas partes.

Sabes Señor, cuando pienso que la muerte es un premio para mí, alguien me hace recordar Tu nombre y... una esperanza comienza a renacer.

Extiende Señor Tu mano y haz juntar mis pedazos.

Derrama sobre mí el rocío de Tu trono y genera una nueva vida en mí injertándome de nuevo en la vid verdadera.

No tengo a nadie más a quién clamar... Si por acaso me decepcionas... desapareceré para siempre.

Obispo Macedo"

Dios juntó mis pedazos. Y no me decepcionó.

Las acusaciones eran diversas y venían de todos lados. Algunas, caían en el colmo de lo absurdo y en la discriminación.

En el documento que autorizaba encarcelarme, la totalidad de los argumentos polémicos quedaron marcados en la historia. Un juez substituto, de 31 años, que permaneció en el cargo solo un mes, firmó el oficio. Mi prisión, como ya conté en *Nada que perder 1*, ocurrió en mayo de 1992.

Enseguida, destaco algunos argumentos del juez sustentando el pedido de detención:

PODER JUDICIAL
São Paulo

Vigésima Primera Jurisdicción Penal Central de la Capital
Proceso número 298/92

Acusado: Edir Macedo Bezerra

Aquí está el resumen de lo fundamental que decido y justifico: [...] en poder de la parte acusatoria están elementos técnicos que apuntan el modo de influenciar en el espíritu de aquellas personas que no son capaces de razonar por sí mismas, haciendo que el rebaño de fieles se propague asustadoramente [...] [...] cuyo perjuicio es aún mayor, a medida que estos ciudadanos no poseen una base sociocultural suficiente y necesaria para librarles del mal [...][...] Bajo la amalgama de secta religiosa, en su esencia, la referida institución termina desencaminando a su respectivo séquito, anunciando milagros, curas imposibles, en fin, una serie increíble de predicados que solamente vienen al encuentro de los intereses de la sociedad [...] [...] Desgraciadamente la acción variada y aturdidora de la secta afecta los intereses difusos de un incontable número de personas [...]

[...] La descomposición de las clases sociales, a medida que galopa la inflación y se irrumpe en la recesión, como se indica en los registros, provoca la propagación inevitable de legiones que, bajo el pretexto de anunciar las buenas nuevas, predican ideologías dirigidas al dominio, en un verdadero proceso de lavado cerebral [...][...] por tales fundamentos y analizando los elementos indagatorios anexados, con aspectos reveladores, resuelvo decretar la prisión preventiva del acusado.

São Paulo, 22 de mayo de 1992.

Carlos Henrique Abrão
Juez de Derecho

Respeto a todos los integrantes del Poder Judicial, confío en la soberanía e imparcialidad de la Justicia brasileña, pero tengo derecho a exponer lo que considero mero prejuicio y lo que me llevó a vivir días angustiantes detrás de las rejas.

Yo necesitaría millares de páginas de libros para relatar testimonios reales e impresionantes de hombres y mujeres recuperados por el poder de la fe, aprendido en los cultos de la Iglesia Universal. ¿Cree que las personas cambiarían su vida de hoy por la del pasado? ¿Cree que ellas son más felices ahora o cuando no conocían esta creencia que aprendieron con nosotros?

Es cuestión de razonar. Si tantas personas llegaron arruinadas y de verdad son engañadas y explotadas por mí, ¿por qué permanecerían en la Iglesia? Quien es engañado, se dejaría engañar una vez y no regresaría nunca más. Pero ¿por qué existen tantos templos llenos de fieles en Brasil? ¿Por qué existen tantos miembros fieles con décadas en la Iglesia? ¿Por qué también existen tantos médicos, dentistas, abogados, profesores, publicistas, empresarios, universitarios y otros tipos de intelectuales en nuestro medio? ¿Cómo explicar ese crecimiento en todo el mundo, en diferentes culturas, razas e idiomas?

No es el cumplimiento de la promesa del obispo Macedo en la vida de ellas. Es el cumplimiento de la Palabra de Dios.

¿Cómo no pensar en los apóstoles y en el propio Señor Jesús, presos por esparcir la fe capaz de transformar vidas?

Sin considerar la óptica de nuestras convicciones, basta analizar con imparcialidad el trabajo de recuperación social que la Iglesia realiza junto a las más variadas clases. ¿Cuántos billones los gobiernos ahorran con la atención espiritual proporcionada por la Universal? ¿Alguien ya pensó en eso? Cuando alguien vence una crisis crónica de depresión o supera el vicio de las drogas, por ejemplo, ¿cuánto ahorra el sistema de salud? ¿Cuánto vale la recuperación de un presidiario o de un menor infractor dentro de un fallido sistema penitenciario?

Imagine ese efecto multiplicado por millones. ¿Es difícil ver eso?

La Iglesia Universal basa su creencia 100% en las enseñanzas de la Palabra de Dios. Y en la Biblia existen ejemplos claros e irrefutables de la manifestación de la fe a través de la realización de curas y de la liberación espiritual. Son incontables los relatos de quien experimentó esos milagros y que puede testificar, en los días actuales, la veracidad de las promesas cristianas.

¿El Señor Jesús lavaba cerebros?

La Iglesia Universal es una sala de urgencias espiritual. Nació a partir de unas ganas sinceras de ayudar a quienes se consideran perdidos. Eso primero sucedió conmigo, aún joven, cuando era funcionario público. Yo fui transformado interiormente después de mi experiencia con el Dios de la Biblia.

Decidí hacer la Obra de Dios únicamente por el deseo de llevar un mensaje inteligente capaz de transformar al ser humano. Ese es el mayor milagro: la conquista de una nueva vida, la transformación completa de pensamientos y de valores capaz de generar un revés radical de comportamiento. Una satisfacción interior, un estado de felicidad y realización que solo el Espíritu de Dios produce en el ser humano. Solo quien vivió esa dádiva entiende lo que estoy diciendo.

¿Cuántos frecuentadores de la Iglesia Universal son sorprendidos borrachos, al volante, amenazando la vida de inocentes? ¿Cuántos cometen delitos y tragedias provocadas por el vicio de las drogas? ¿Cuántos, armados, cometen atrocidades contra la sociedad? ¿Cuántos han ocupado las páginas policíacas de los noticiarios? ¿Cuál es la religión de esa gente involucrada en tanta violencia?

La Iglesia Universal del Reino de Dios es la acción del Espíritu de Dios, no del hombre. No del obispo Macedo.

UN NUEVO TIEMPO

La agitación violenta del clima atrae mi atención. Las tormentas eléctricas proporcionan escenas espectaculares, a pesar del peligro. A veces, detrás de la ventana de la casa, observo la fuerza de los relámpagos que golpean la tierra. Un rayo nada más es una carga eléctrica, de alta intensidad, cruzando la atmósfera. La mayoría comienza y termina dentro de las nubes. Son pocos los que descienden al suelo. Pero cuando esas chispas del cielo alcanzan al planeta pueden provocar acciones destructivas.

La fe es como un relámpago. Cuando es despertada, produce una acción rápida. Y golpea al mal con una fuerza inconmensurable. Es imposible contener un rayo. Es imposible contener a quien vive por la fe.

La adquisición de Rede Record fue como la acción de un relámpago. Y generó la multiplicación de la onda de ataques, desde varios puntos enemigos. Aún con la emisora pagada, debido a la respuesta de Dios descrita al inicio de este libro, enfrenté otro bombardeo para lograr transferir la concesión y ponerla a mi nombre. La concesión es el permiso para operar de los canales de televisión del país, actividad controlada por el gobierno.

El periódico *O Estado de S. Paulo*, del 29 de marzo de 1992, publicó una nota con el título "Quem quer" [Quienquiera], firmada por el periodista Nirlando Beirão, que traduce los intereses sombríos de aquel momento:

"No será fácil para el obispo Edir Macedo renovar la concesión de TV Record, que termina este año. No solo a causa del ataque contra él y su Iglesia Universal del Reino de Dios. Sino porque hay gente poderosa con envidia. Además del insistente José Carlos Martinez, del Grupo OM de Paraná —provisionalmente, pero solo provisionalmente, pidiendo un aventón a TV Gazeta en São Paulo—, un puñado de empresarios reunidos en torno del primer hermano Leopoldo Collor de Mello se interesa en los bienes televisivos del obispo".

La noticia revelaba el tamaño de mis obstáculos para alcanzar un derecho ya adquirido. El proceso estaba rigurosamente amparado en la ley, no había nada irregular, pero era necesario esperar el aval del presidente Fernando Collor. El documento estaba retenido en la Secretaría de Comunicaciones, órgano hoy elevado a Ministerio de Comunicaciones. El entonces secretario de esa época ya reveló, públicamente, que había influencias que se oponían a hacer la transferencia a mi nombre. Según él, las presiones eran ejercidas, de forma encubierta, por importantes grupos de comunicación y empresarios envidiosos del mercado televisivo.

Todos cruzaban los dedos esperando que yo cometiera un error. Pero el Espíritu Santo era mi guía.

Uno de ellos fue el empresario José Carlos Martinez, dueño de la emisora CNT, la Central Nacional de Televisão [Central Nacional de Televisión] y uno de los tesoreros de la campaña de Fernando Collor. Martinez deseaba hacer de su televisión en Paraná una gran red nacional y, para eso, necesitaba una emisora potente en São Paulo. ¡Rede Record, por supuesto!

Cierto día, él solicitó que nos reuniéramos urgentemente en la antigua sede de TV Miruna, en el barrio paulista de Moema.

Martinez me dijo explícitamente que el gobierno no firmaría la concesión de Record.

Educadamente, oí al empresario a lo largo de algunos minutos.

—Yo le puedo ayudar. El gobierno de ninguna manera va a firmar, esté seguro de ello. Tengo mis propias fuentes. No hay la mínima posibilidad, obispo —afirmó él, entusiasmado con la propuesta.

De repente, interrumpí la agotadora secuencia de palabras derrotistas, me levanté del sofá y dije:

—Escúcheme bien, Martinez: ¡Record solo no será mía si logran pasar por encima del cadáver de Jesús!

Irritado, el empresario abandonó el encuentro.

Un diálogo semejante tuvo lugar con los funcionarios de Record, heredados de la administración anterior de la emisora. Frente a un gran grupo de periodistas, en la redacción de la TV, expuse mis intenciones de realizar una gran inversión en la empresa. Mientras hablaba, dos o tres funcionarios me encaraban fumando, con los pies sobre las sillas, lanzando humo hacia el techo. En el transcurso de la conversación, uno de ellos me cuestionó:

—¿Cómo está seguro de que Record será puesta a su nombre? Todos quisiéramos saberlo. ¿Cuál es la garantía de que el gobierno le dará la concesión? ¿Qué garantía tenemos nosotros?

Terminó con mi paciencia:

—¡Solo la perderé si Dios no es Dios!

En medio de la espera por la concesión, un sospechoso incendio afectó el edificio de Record, en agosto de 1992. Parte de las instalaciones del Teatro Record, en la avenida Miruna, fue afectada. El fuego no cobró víctimas y fue controlado una hora después por los bomberos. La prensa reportó que el incendio fue provocado y nos acusó de cometer ese delito para recibir el pago del seguro. Pronto, un nuevo proceso fue instaurado contra mí. Yo era el principal sospechoso del crimen. Dos motivos, sin embargo, hicieron derribar las acusaciones: el primero es que yo estaba en Nueva York en ese período y el segundo, el argumento de defensa irrefutable, era que el pago de la parcialidad de la póliza estaba retrasado. Es decir, ¿cómo podría incendiar una propiedad que estaba sin la cobertura del seguro al día?

Otra trampa para provocar un escándalo y, quién sabe, intentar evitar que Record fuera puesta a mi nombre.

En aquel período, en el plazo de una semana, la Policía Federal y los inspectores de Hacienda de São Paulo pidieron al mismo tiempo, todos los documentos del proceso de concesión. Demerval Gonçalves cuenta que lo llamaron a Brasilia tras una misteriosa indicación hecha por Paulo Cezar Farias, PC Farias:

—Él me dijo explícitamente que la concesión tendría un precio. Era un pedido evidente. Por supuesto que no le dimos centavo alguno al tesorero. No trabajamos de esa manera.

Todos querían aprovecharse de nuestra situación. Yo tenía la promesa de apoyo del presidente Collor, incluso después de algunos acuerdos que no cumplió. Antes de la elección en 1989, creí en el proyecto de gobierno del político alagoano. Nuestra primera conversación oficial ocurrió en Río de Janeiro.

—Te apoyaremos, Collor, pero te pediré algo —le dije.

—Dígame, obispo. Estoy a su disposición —respondió el entonces candidato.

—Quiero orar el día que usted tome posesión como presidente. Será la primera vez que un pastor ore por un líder de nuestra nación después de subir la rampa del Palácio do Planalto[10] —expliqué, imaginando cuántas vidas serían alcanzadas con aquel acto de evangelización.

—Así será. Trato hecho —aseguró Collor, extendiendo su mano para confirmar la promesa.

Retribuí el gesto. Los meses siguientes, hice personalmente propaganda electoral a favor de Collor. Declaré públicamente que votaría por él. Fui fotografiado abrazado al candidato, vistiendo una camiseta de campaña, con el tradicional estampado de dos "eles" en verde y amarillo.

Collor ganó las elecciones. El 1 de enero de 1990, día de la toma de poder, él ignoró mi pedido de subir a la rampa al lado izquierdo de la ex *mãe de santo*[11] alagoana Maria Cecília da Silca, la "Mãe Cecília", famosa por hacer rituales de "ascenso" a favor de políticos y otras personalidades. Recientemente, en entrevista a los medios de comunicación, su ex esposa, Rosane Collor, declaró que los jardines de la Casa da Dinda[12] eran usualmente utilizados para rituales macabros de magia negra y animales sacrificados en holocausto a los seres malignos.

Tres años después, yo dependía de Collor para firmar la concesión. Estaba seguro de que Dios no nos abandonaría, aún en el ojo del huracán de una avalancha de trampas.

En mayo de 1992, exactamente el mes de mi prisión, surgió una ola de graves denuncias contra Pedro Collor, hermano del presidente, involucrando directamente a PC Farias. La CPI [Corte Penal Internacional] en el Congreso Nacional, impulsada por marchas en las calles, apoyó su destitución al terminar aquel año.

Días antes de ser destituido del cargo, Collor me invitó a desayunar en Brasilia, en la casa del exdiputado federal Paulo Octavio. El presidente llegó en helicóptero. Él se dijo indignado con Rede Globo, que, de un momento a otro, dejó de apoyarlo. En esa ocasión, oré intensamente, imponiendo mis manos en la cabeza de Collor.

Finalmente, él actuó a favor de Record y de mí. Antes de irme, le di un consejo:

Periodo de sufrimiento durante la compra de Record: las agresiones provinieron de todos lados. La Biblia fue mi refugio: "Bienaventurados serán ustedes cuando por mi causa los insulten y persigan, y mientan y digan contra ustedes toda clase de mal. Gócense y alégrense, porque en los cielos ya tienen ustedes un gran galardón; pues así persiguieron a los profetas que vivieron antes que ustedes" (Mateo 5:11 y 12).

Documentos inéditos:
los argumentos
utilizados para
acusarnos siempre
estaban cargados de
prejuicios. Nunca
comprobaron nada.

CONCLUSÃO

Em 15 de _outubro_ de 1991.
Faço conclusos êstes autos ao MM. Juiz
Federal Dr. João Carlos da Rocha Mattos

Oficial Judiciário

VISTOS, etc.

A prisão temporária de EDIR MACEDO
DE BEZERRA ou EDIR MACEDO BEZERRA foi decretada com o objeti
vo primordial de proporcionar à Polícia Federal sua inquiri-
ção, em virtude das grandes dificuldades encontradas, quer
para localizá-lo, quer para intimá-lo pessoalmente, tudo le-
vando a crer que o nominado estava, propositalmente, criando
óbices nesse sentido, ou seja, esquivando-se de comparecer '
ao Departamento de Polícia Federal.

Além disso, o referenciado, após a
segunda prorrogação de sua estada no exterior, concedida por
outro Magistrado em exercício nesta Vara, deixou de comuni —
car ao Juízo o seu retorno, como exigido no despacho judicial que autorizou a viagem e/ou a permanência no exterior.

Nesta data, EDIR MACEDO DE BEZERRA
ou EDIR MACEDO BEZERRA apresentou-se, espontaneamente, à Po
lícia Federal, depois de ter a sua prisão temporária decreta
da na sexta-feira (11.10.91) por este Juízo, tendo cumprido
as formalidades legais, isto é, foi preso e ouvido pela Polí
cia Federal, cercado de todas as garantias legais e constitu
cionais, estando inclusive acompanhado de seus advogados.

Mi libertad
dependía de un
pedazo de papel.
Yo era obligado
a cargar un
documento de
amparo para no
ser detenido
en la calle.

Processo nº 817/92
Inq. Pol. 720/92 - 27ª D.P.

CONTRAMANDADO DE PRISÃO

O(A) Doutor(a) Lídia Maria Conceição Kirainger
Meritíssimo(a) Juiz(a) de Direito da 26ª Vara Criminal
da Comarca de São Paulo

MANDA a qualquer Oficial de Justiça deste Juízo, ou às
autoridades policiais e seus agentes, a quem este for apresenta
do, indo por ele assinado, que não efetue a prisão de EDIR MA
CEDO BEZERRA, RG. 20.142.709, filho de Henrique Francisco Be -
zerra e Eugenia Macedo Bezerra, nascido no Rio de Janeiro/RJ
aos 18.02.45, casado, pastor religioso

contra quem foi expedido mandado de prisão, em virtude de ter-
lhe sido decretada a prisão preventiva, tendo em vista que por
decisão da Eg. 5ª Cam. Criminal do Tribunal de Justiça, em 25.
02.93, foi concedida a ordem de Habeas-Corpus nº 140.760-3/0 ,
para revogar a prisão preventiva do réu, determinada a expedi-
ção do presente.

O que se cumpra, sob pena de desobediência e responsa
bilidade.

Eu,°   Em 26 de fevereiro de 19 93.
datilografei. Eu,   Sonia Maria A.F.Oliveira , Escrevente,
Escrivão(a) Diretor(a), subscrevi.   Milene Asnati

LÍDIA MARIA CONCEIÇÃO KIRAINGER
Juiz(a) de Direito

ESSA EU NÃO SA
A GLOBO USOU M
FUNDO DE GARANT

ABAIXO GLOBO
O POVO NÃO É BOBO

En 1995, Globo usó artillería pesada con la distorsión de los hechos, como en el caso de las bolsas de pedidos en el Maracaná. En la miniserie *Decadência* [Decadencia], un sostén fue lanzado sobre la Biblia Sagrada. La multitud salió a las calles en nuestra defensa.

Las subidas al Monte
Sinaí siempre marcaron
mi vida. En cada visita
a aquel lugar sagrado,
conquisté algo nuevo.
La travesía es peligrosa,
la temperatura es un
obstáculo, pero aún
con mi pierna herida,
no desistí.

Cada vez que subimos a un monte, lo hacemos movidos por un propósito. Arriba, en el Ben Nevis, en Reino Unido, para mantener abiertas las puertas de un templo de Londres. Al centro, un atardecer en el Sinaí. Y, al lado, en el Monte Hermón, el más alto de Israel, cuando subimos por un objetivo muy especial.

La llegada del Evangelio a las tribus aisladas de África me conmueve tan profundamente que me hace llorar. A cielo abierto y construida con troncos de madera, la Universal ejecuta la misma misión: salvar almas.

Jesus Cristo é o Senhor
Igreja universal do Reino de Deus

En mayo de 2013, más de 70 mil personas llenaron el Pavilhão do Anhembi en São Paulo en una concentración hecha para rescatar a los sufridos.

El Templo de Salomón con el cincuenta por ciento de las obras terminadas, en marzo de 2013: cada parte de esta construcción representa santidad.

Durante una de mis últimas visitas, recorrí lentamente cada parte de las construcciones. El Templo de Salomón estará abierto para todos los pueblos, de todas las religiones.

La primera vez que puse mis pies en el altar del Templo de Salomón, recordé nuestro inicio en la antes funeraria: un hombre no puede hacer eso.

—Presidente, haga lo que yo hago. Deje de "beber" del noticiario ruin de la prensa. Es una manera de preservarse.

La firma de la concesión fue prácticamente el último acto de Collor en la Presidencia. Nuestro Señor es fiel.

Actualmente, en encuentros privados con empresarios, autoridades del Poder Judicial y personalidades políticas, entre gobernadores, senadores, ministros y muchos presidentes y expresidentes, escucho un discurso común, y, a veces, hasta un agradecimiento, que me trae una grandiosa satisfacción.

¿Qué sería de Brasil estos últimos años sin Rede Record? ¿Cuántas demandas y excesos fueron evitados en la lucha contra el monopolio de la comunicación? El dominio de la información siempre provocó la elección y el derrumbe de políticos. Siempre levantó y pisó a quien quiso. ¿Quién puede negarlo? El país dejó de ser rehén del monopolio y de sus enfermedades.

El crecimiento de Record transformó Brasil. Cuántos empleos se generaron. Cuánta producción cultural y diversidad. Cuánta información libre. Cuánta competencia.

Las utilidades declaradas en el Impuesto sobre la Renta y los balances contables de la emisora registrados en la Junta Comercial atestiguan: nunca tomé un centavo de Record como salario ni recibí ninguna ganancia. Siempre reinvertí todo el lucro como accionista de la emisora. Son más de 4 mil funcionarios que producen 85 horas de programación nacional. La cobertura en el 98 por ciento del país es hecha a través de 99 emisoras, entre propias y afiliadas. La señal internacional llega a 125 países de cuatro continentes.

Es la segunda televisora más vista del país, con un periodismo respetado y de repercusión en todo Brasil y en el exterior.

Yo también fui víctima del monopolio, que usó todo su poderío para borrarme del mapa, como entenderemos unas páginas más adelante, analizando, emblemáticamente y con cautela, los acontecimientos de 1995. Hoy, de vez en cuando, aún intenta encabezar nuevas campañas de difamación, pero estas ya no tienen el mismo efecto.

Los mismos argumentos, los mismos artificios, la misma letanía.

Brasil despertó. Gracias a la existencia de Record. Gracias a nuestro Dios.

¿QUIÉN SOPORTARÍA?

La imagen negativa del comienzo de mi trayectoria de evangelización se debe a la avalancha de artículos difamatorios expuestos en los medios masivos de Brasil basados en ideas preconcebidas. Estoy seguro de que, si la Iglesia Universal hubiese tenido su origen en Estados Unidos, Inglaterra o en otra nación sin tradición católica, seguramente sería más respetada y, quizá, hasta vista con más admiración desde su nacimiento. No es que me interese, pero es un llamado al sentido de justicia.

La prensa en general nos trataba intolerantemente desde antes de comprar Record. Aún hoy quedan algunos restos de esa época, aunque en menor escala, con excepción de la postura de TV Globo, que nos trata como rivales en los negocios y en la ideología.

El primer ataque frontal en televisión ocurrió en el programa *Documento especial*, de TV Manchete, declarada en quiebra. Durante más de una hora, fuimos calificados como fanáticos y dirigentes de una Iglesia repleta de miserables. El trabajo de liberación espiritual, indirectamente, fue etiquetado como farsa.

En junio de 1990, fui invitado a participar en un programa de debates muy visto en esa época, conducido por Silvia Popovic, en un horario noble del canal SBT. Lo acordado con el equipo de producción era discutir fe y religión, lo que me hizo ver una oportunidad para esclarecer los principios de la creencia en el Evangelio a un público más numeroso.

Fui demasiado ingenuo.

Desde el inicio, cuando la conductora anunció el tema del programa, me asusté:

—La sociedad, junto con sus dirigentes, gira en torno a una polémica preocupante que hoy es puesta en debate: el crecimiento de las sectas evangélicas y en especial el de la Iglesia Universal del Reino de Dios. ¿Qué está pasando con Brasil? —indagó la presentadora.

Las sorpresas no terminaron ahí. Para mi asombro, la conductora asumió una actitud acusadora:

—Una de las críticas que le hacen a usted es que muchas personas son engañadas, extorsionadas, obligadas a dar el diezmo para obtener salud y cuando se dan cuenta, están pagando por un milagro que no siempre ocurre. Una serie de acusaciones contra su Iglesia. Me gustaría saber: ¿qué dice usted al respecto?

Las mismas acusaciones de siempre. A mi lado, participaban del debate una actriz, otro pastor y dos diputados, entre ellos el expresidenciable Roberto Freire.

Pedí a la conductora que me mostrara a los acusadores y argumenté lo obvio: la prueba de que el trabajo de la Iglesia Universal es serio es su crecimiento y la enorme cantidad de vidas transformadas.

La conductora, entonces, mostró en el estudio a una mujer disfrazada con lentes oscuros y peluca, diciéndose víctima de la Iglesia. Ella alegaba que le habíamos hecho muchas prohibiciones a su hija y que provocamos que se apartara de la sociedad. Una escena patética.

Lo más irritante era ver al público del foro aplaudiendo, obviamente controlados por el equipo de producción, a favor únicamente de quienes me agredían.

Después, el delegado de la Policía que había invadido nuestro templo usando ametralladoras hizo nuevas acusaciones sin sentido:

—El delegado dice que distribuimos folletos anunciando la venta de aceite santo y de curas milagrosas, pero no tiene pruebas. ¿Dónde está el folleto? —pregunté, interrumpiendo varias veces al delegado.

El folleto, por supuesto, no apareció. Al terminar el programa, la presentadora fue buscada por la revista *Plenitud* para ser entrevistada y respondió:

—¿Hablar de la Iglesia Universal? ¡Ah, no! Ahora no quiero...

Como este programa, existen innumerables reportajes de aquel tiempo que avergüenzan al trabajo periodístico y ponen en evidencia el prejuicio religioso.

Un diputado estatal famoso en esa época, Afanásio Jazadi, era una de las personalidades de los medios masivos que más incentivaba eso. Él utilizaba un programa de radio para atacarnos sistemáticamente e intentaba elaborar proyectos de ley para impedir la predicación del Evangelio. Llegó a tener una de las mayores audiencias radiofónicas en Brasil y a ser el diputado con más votos en São Paulo, pero usaba eso para depreciar nuestro trabajo espiritual. Sus declaraciones a la prensa, y principalmente a la televisión, siempre estuvieron cargadas de odio y desprecio. Eran muchas, todas maliciosas, siempre con el objetivo de tacharme a mí y a los pastores de "criminales". El placer sádico en el rencor de sus palabras siempre llamó la atención. El destino actual de él será revelado más adelante.

La Universal y yo continuamente fuimos difamados, sin el menor derecho a responder. Las excepciones son rarísimas.

Organicé una lista con una selección especial de los principales titulares y segmentos de textos publicados en los principales periódicos brasileños al inicio de los años 1990. Preste atención al nivel del contenido:

Jornal do Brasil, 24 de abril de 1991
Edir Macedo Bezerra: un funcionario se convierte en líder espiritual

Diário Popular, 4 de mayo de 1992
Predicación repugnante

O Globo, 29 de abril de 1991
La Salvación está a la venta en el supermercado
"[…] Curas tan milagrosas que llevaron a algunos teólogos a clasificarlas como 'prácticas perversas' y *'show* de manipulación' […] la Universal forma parte de un grupo de sectas que vende la salvación. Y que funciona como un seguro para 'pobres' […]

En el diezmo, una cartera de inversiones
"[…] Para el rebaño que sigue a los pastores de la Universal es difícil no salir trasquilado al final del culto."

Notícias Populares, 5 de mayo de 1991
Treta religiosa en la mira de la policía
"Si usted está desesperado, compre un manual de los milagros, o vaya a una subasta de la prosperidad divina […]"

O Estado de S. Paulo,

21 de mayo de 1989
Quienes bailaban Samba ahora cantan aleluya

11 de noviembre de 1989
Record se convierte en TV Reino de Dios

19 de octubre de 1991
Antecedentes penales: el pastor Edir Macedo va a rendir declaración

30 de enero de 1992
El obispo Edir Macedo extiende sus tentáculos

23 de abril de 1992
Próspero emprendimiento
"[…] El liderazgo del Sr. Edir Macedo no habría adquirido tal dimensión si no fuera, en primer lugar, por la necesidad espiritual que atraviesan las clases más pobres e ignorantes

de la población, que siempre están a la expectativa de encontrar salvadores, hacedores de milagros capaces de curar todos los males […]"

23 de mayo de 1992
Providencia que alivia
"[…] Sobre los dones del Espíritu Santo, el 'obispo' no sabe lo más mínimo; en compensación, tendrá otros dones, que lo habilitan a gozar la prosperidad y la abundancia, a expensas de la credulidad popular […]"

29 de junio de 1990
"Obispo" con problema psiquiátrico
"[…] El jefe de investigaciones de la Policía Interestatal llamó a la prensa para decir que decidió pedir un examen psiquiátrico de Edir Macedo, por considerar que presenta 'comportamiento psicópata, sociópata e inmoral'. Pesan también sobre el líder de la Iglesia Universal acusaciones de tener 'comportamiento cerebral de instigación de personas'".

Observe el tono irónico e irrespetuoso con el que fuimos tratados a lo largo de esos años. Políticos corruptos y asesinos crueles no obtuvieron rótulos semejantes en las mismas páginas de esos periódicos. Todo motivado por un trabajo únicamente dedicado a rescatar vidas desesperadas a través de la prédica del Evangelio y a llenar la laguna social dejada por la ineficacia de los gobiernos.

¿Usted lo soportaría?

LA MASACRE

D esde que asumimos Record, Globo se encargó de dirigir ataques frontales contra la Iglesia Universal y contra mí, pero el armamento se volvió de grueso calibre a partir de 1995. Fue exactamente el año en que Rede Record se convirtió en la tercera principal emisora de televisión de Brasil y ya preparaba dar saltos de crecimiento aún más prometedores.

Los golpes ahora eran debajo de la cintura y de manera explícita. El miedo de la amenaza futura fue admitido por su propio fundador, conforme lo revela este fragmento del reportaje publicado el día 13 de septiembre de 1995:

"Globo intenta mostrar cierta tranquilidad, que es solo aparente. Roberto Marinho le confesó a un amigo que en los próximos diez años Record será la red con mayores municiones para amenazar la hegemonía de su emisora."

("Guerra sin tregua", revista *IstoÉ*)

El argumento fue mejor explicado en las palabras de un renombrado crítico de cultura y televisión, en un artículo divulgado el día 13 de enero de 1996:

"Rede Record pone a la gente en la calle y proyecta un nuevo liderazgo en el espacio público —disputa el poder político con Globo. Y en la TV brasileña la moneda más preciosa no es el Ibope ni el dinero, sino el poder político. Record trajo a la pantalla a los excluidos que la TV madame Globo detesta mostrar. Los creyentes, tradicionalmente despreciados por los intelectuales y bien vestidos, entraron en escena. Es contra esa escena que la Globo se moviliza."

("Sintonía Fina", Eugenio Bucci, *O Estado de S. Paulo*.)

El monopolio no se quedaría sin orquestar una severa represalia. ¿O alguien duda que Rede Globo solo me agrede a mí y a la Iglesia Universal a causa de Record?

Para entender, al menos parcialmente, la clandestinidad de las acciones intolerantes de Rede Globo en 1995, basta ver el llamativo documental inglés titulado *Muito além de cidadão Kane* [Más allá del Ciudadano Kane], censurado en nuestro país por medidas judiciales de la emisora carioca. Producido en 1992, aún disponible en Internet, denuncia los orígenes del poder del empresario Roberto Marinho. Es un documental tan revelador que todos los brasileños deberían verlo por lo menos una vez en la vida.

El año de 1995 fue muy largo.

En las páginas siguientes, enumeré las cinco embestidas centrales de las Organizaciones Globo, en orden cronológico, razonando detenida y metódicamente los detalles de un lado jamás contado de esa ola de agresiones.

La versión de quien fue blanco del bombardeo, 18 años después, debe quedar registrada en la historia reciente de Brasil. Los abusos de un grupo de comunicación, en su momento dominador absoluto de la información, necesita atravesar generaciones.

La lección debe ser aprendida.

Bolsas de mentiras

Todo el año de 1995 estuvo plagado de reportajes contra la Iglesia Universal en los noticiarios televisivos y en los programas de Rede Globo. La táctica era una especie de repetición de las ofensivas lanzadas, en abril de 1992, un mes antes de mi prisión, cuando el principal noticiario de la emisora emitió al aire un largo video sobre una de las concentraciones de fe en el Estadio Maracaná.

El reportero destacaba, hasta el hartazgo, imágenes de varios pastores cargando bolsas llenas de papeles con pedidos de oración. Para Rede Globo, eran bolsas llenas de dinero. El evento, de acuerdo a la locución, fue meramente un conjunto de situaciones irregulares, con una multitud fanática engañada por las palabras de un "criminal".

El año siguiente a la adquisición de Rede Record, un programa semanal de 60 minutos trató a la Iglesia como un "asunto policiaco" y me rotuló con los peores adjetivos. El día de mi detención, un equipo de la emisora era el único presente en la delegación a donde fui remitido. No había ningún otro medio de comunicación. En junio de 1995, personal de los programas de la televisora se infiltró en los templos para videograbar, ilegalmente, uno de nuestros cultos con una cámara oculta. La intención fue mostrar, nuevamente, que los fieles eran "engañados y obligados a hacer contribuciones financieras". Fue un reportaje largo en su programa dominical.

Los años siguientes, varios breves y extensos reportajes, en la televisión y en su periódico impreso, mostraban que los cañones estaban apuntando hacia mí.

Lo más difícil para Globo, creo, debe de haber sido observar el crecimiento ininterrumpido de la Universal, aún después de sus continuas embestidas. Mi prisión no cerró las puertas de la Iglesia, al contrario, trajo aún más avances. Los templos se llenaron de nuevos fieles solidarios a la lucha contra un ataque tan desleal. Fue un distintivo en nuestra trayectoria. Y Record, aún recién nacida, fortalecía su proyecto de televisión que afectaría directamente la estabilidad del poder del grupo carioca.

Para quien dominaba el país, siempre levantando y derrumbando empresarios, jueces, diputados, gobernadores, ministros y hasta presidentes de la República, rehenes del monopolio, no debe de haber sido un escenario fácil de contemplar.

El único camino fue usar artillería pesada.

NOVELA DE LA VIDA REAL

La descripción exacta de la escena, sin quitar o agregar nada, literalmente es la siguiente:

"El pastor entra en la habitación e inicia una relación amorosa con una mujer un poco avergonzada.

La amante era la trabajadora doméstica, la misma persona responsable de su crianza.

El pastor seduce a la mujer. Los dos se abrazan con deseo.

Al quitarse la ropa, la amante arroja el sostén sobre la Biblia del pastor, que estaba abierta sobre la cama en donde la pareja tuvo su primera relación sexual.

La imagen del sostén lanzado sobre la Biblia transcurre lentamente".

Un escándalo, sin precedentes en la televisión brasileña, que pocos recuerdan. ¿Es posible imaginar cuál es el significado?

Una afrenta al mayor símbolo de la fe cristiana. Una bofetada en el rostro de todos los hombres y mujeres que celan la santidad de la Palabra de Dios. La Biblia no es un libro de vida solo para la Iglesia Universal, sino para fieles al Evangelio en todo el mundo.

¿Y qué pasó? ¡Nada!

Mucha gente le aplaudió a Globo, e incluso consideró bella y creativa la libertad poética de la emisora, que agredió uno de los símbolos sagrados del cristianismo. En otro país, tal televisora no se libraría de un castigo severo.

Con este tono de indignación y desprecio oí hablar sobre la miniserie *Decadência* [Decadencia], exhibida por Rede Globo en septiembre de 1995. La trama tenía como personaje principal a un pastor corrupto y falto de integridad, líder de una iglesia de personas desequilibradas.

El blanco, sin duda alguna, era yo.

La miniserie, de 12 capítulos, fue escrita por el autor Dias Gomes.

Era una caricatura burlona de mi trabajo de evangelización como predicador. Una forma de poner en ridículo mis valores y, sobre todo, los principios de la Palabra de Dios. Varias de mis frases completas, dichas en entrevista a una revista semanal, fueron reproducidas por el personaje principal de la trama de esa miniserie:

9 de septiembre de 1995
Folha de S. Paulo
'Decadência' utiliza frases del obispo
"Extractos de las declaraciones de Edir Macedo contenidas en una entrevista realizada en 1990 están en la obra de Dias Gomes, quien inspiró la miniserie de Rede Globo, mostrando a quién, realmente, estaba dirigida esta miniserie."

Cuando se dio cuenta del malestar generado, Globo incluyó en la apertura de *Decadência* un texto leído por el actor protagonista:

—*Es necesario renovar el respeto a todas las religiones.*

Sonó a demagogia.

Los años posteriores trajeron más ironías e insultos con el uso de la ficción. En la miniserie *Ó pai, ó* [Oh padre, oh], un bribón se transformaba en otro pastor corrupto, que desviaba el dinero de la iglesia. En la novela *Duas Caras* [Dos Caras], una evangélica loca y rencorosa incitaba a seguidores a actos de violencia, como una tentativa de linchamiento, y persiguió con odio a los homosexuales. Esos fueron solo algunos ejemplos. Al mismo tiempo, símbolos católicos y espiritualistas siempre fueron tratados con devoción y respeto por medio de enredos y personajes del drama televisivo.

Curiosamente, solo hasta ahora, después de esa extensa etapa de ataques, la misma emisora decidió patrocinar grandes eventos de música *gospel*. ¿No es extraño? ¿Puede creerse en las intenciones de esa empresa?

INCITACIÓN

Era de noche en Estados Unidos cuando recibí una llamada desde São Paulo comunicándome el alboroto del noticiario nocturno de Rede Globo. Uno de nuestros ex obispos había pateado levemente una imagen de casi un metro de altura, que él mismo había comprado. Era el 12 de octubre de 1995, día festivo para los católicos. Tomando como base versículos de la Biblia, criticó la veneración a imágenes de santos.

El número de televisores encendidos en ese momento, sintonizando el programa de la Iglesia durante la madrugada a través de Record, era muy pequeño. Pero el hecho fue explotado hasta el cansancio en la voz de un líder de opinión:

—¡Obispo de la Iglesia Universal del Reino de Dios provoca polémica e indignación en todo el país! Él usó la imagen de Nuestra Señora Aparecida para acusar a la Iglesia católica de lucrar con la adoración de santos. Frente a las cámaras, reforzó sus argumentos con gestos agresivos.

El asunto invadió los demás noticiarios de la emisora carioca. La imagen de las patadas fue repetida sin parar los días siguientes. El objetivo era incitar a los católicos en contra nuestra.

A obreros y pastores se les prohibió circular libremente con uniformes que los identificaran como parte de la Iglesia. Miembros fueron expulsados de casa por sus propias familias. Reconocí que fue un error. Inmediatamente entré al aire por la televisión y por el radio pidiendo disculpas. Estamos en radical desacuerdo con las doctrinas enseñadas por el Vaticano, por causa de la fe en la Palabra de Dios, pero amamos a los católicos igual que a los miembros de la Universal e igual que a los perdidos en las religiones de este mundo.

Por eso, tomé la decisión de pedir perdón en cadena nacional. Hicimos más: autoricé a Record ofrecer a la Curia Metropolitana de São Paulo los mismos diez minutos en reparación del daño. La oferta fue rechazada.

Nuestra actitud fue una señal de tolerancia y un pedido de paz, pero terminó siendo interpretado de otra manera. No pude entenderlo. Me pregunté si el Vaticano perdonó a Globo por la exhibición de un sostén lanzado sobre la Biblia, algunos meses atrás, en la tal miniserie *Decadência*. No había nada qué perdonar, pues jamás hubo una manifestación siquiera de repudio a la agresión a uno de los símbolos sagrados del cristianismo.

El artículo siguiente, publicado el domingo, 5 de noviembre de 1995, a pesar de ser un poco ácido, contiene elementos interesantes del conflicto incitado por la emisora carioca:

Folha de S. Paulo
Milagro incuestionable
Marcelo Leite, ombudsman
"[...] Aquellas pataditas torpes con el empeine del zapato y los puñetazos poco convincentes despertaron en mí solo un descontento similar al experimentado con las escenas dramáticas de las novelas mexicanas.

Ya no se hacen iconoclastas como antes.

El pastor fue víctima de su exceso de literalidad televisiva. Por la repetición exhaustiva, Globo logró transformar un *performance* travieso en un crimen de lesa divinidad.

Lo que no debe perderse de vista, en medio a tantas babosadas y palabras compungidas de Cid Moreira, es que la primera piedra la lanzó Globo. Y de una forma tan sutil, disimulada, no asumida, con la miniserie *Decadência*.

La actitud pusilánime de esconderse detrás de la ficción fue derrumbada por el reportaje de *Folha*, en el cual se reveló que frases completas del pastor global habían sido absorbidas de una entrevista del obispo universal Edir Macedo a la revista *Veja*. Otro buen momento del periódico fue el suplemento especial "Guerra Santa", un intento tenaz de lanzar más luz que calor sobre el debate.

La Iglesia Universal solo incomoda porque crece ante la mirada de todos y porque se apoya en una emisora de TV.

Si no fuese por satisfacer eficazmente una demanda ignorada por el catolicismo gordo, jamás le preocuparía a la curia carioca [...]"

Parte de ese texto me hizo recordar a un ejemplo de periodista honesto, en medio de una cobertura con tantos prejuicios. Octávio Frias de Oliveira, propietario del periódico *Folha de S. Paulo*, quien siempre me trató con dignidad. No que estuviera de acuerdo con mis convicciones de fe, pero siempre me respetó y entendió la profundidad del papel de la Iglesia Universal en el rescate social de la población excluida. Eso me lo dijo personalmente en un encuentro en la sede del Grupo Folha, en una espaciosa sala de reuniones en la Rua Barão de Limeira, en el centro de la capital paulista. Antes de darme un abrazo solidario, dijo que creía en la seriedad del trabajo de la Universal. Su muerte fue una pérdida para Brasil.

UN TUMOR

De un momento a otro, Rede Globo nombró a un pastor evangélico como defensor de sus embestidas. En cada reportaje contra la Iglesia Universal o contra mí, él aparecía inmediatamente después con una nueva declaración mordaz. Era el reverendo Caio Fábio D'Araújo Filho, en ese entonces unido a una denominación tradicional.

La intención era intentar legitimar los ataques de la emisora utilizando un supuesto líder evangélico respetado. Para eso, el reverendo llegó a asumir el cargo de presidente de la

Asociación Evangélica Brasileña, fundada con la intención de autenticar su posición como líder. La entidad, sin embargo, prácticamente no tenía representatividad.

En sus entrevistas a la televisión, el reverendo llegó a ironizar la santidad de los diezmos y de las ofrendas, diciendo que la Iglesia Universal hacía uso del sistema de las "bolsitas", como si nunca antes ninguna otra institución evangélica, católica, ortodoxa, espiritualista o esotérica hubiese utilizado una bolsa para recoger donativos.

En la declaración más vil e irresponsable, llegó a afirmar que la Universal es un "verdadero tumor" en el medio evangélico brasileño.

Vamos a descubrir su destino en unas páginas más.

CÁLCULO DE LA VENGANZA

La deserción de pastores y obispos siempre fue común a lo largo del desarrollo de la Iglesia Universal. Muchos desisten del altar, por querer otro tipo de vida, y dejan pacíficamente la Universal. Pero hay un grupo específico de hombres y mujeres que, al abandonar nuestro medio, deciden atacarnos de forma cobarde y mentirosa. La ingratitud resuena en sus palabras de calumnia.

Muchos hasta posan como pobres víctimas indefensas y defensores de la moralidad, a veces incluso en televisión, pero esconden su verdadera cara. Todos los exintegrantes de la Iglesia fueron apartados de sus funciones por graves desvíos de conducta. Las faltas son las más inimaginables y escandalosas posibles.

Uno de ellos, en la víspera de la Navidad de 1995, fue usado por Globo para lanzar otro duro golpe a la Iglesia Universal y a mí. Durante días, fueron exhibidas escenas caseras en que, radiante, aparezco contando los donativos de miembros del templo de Manhattan, en Estados Unidos. Mis momentos de relajación con otros obispos en un hotel de Jerusalén y en Río de Janeiro fueron mostrados fuera de contexto y con total connotación criminal. El reportaje y sus repercusiones ocuparon una gran cantidad de tiempo durante varias semanas en el principal periódico de la emisora.

Era un acto de venganza.

Días después, fui informado sobre una declaración sorprendente y agresiva del ex dirigente de la Policía Federal, el entonces senador Romeu Tuma, publicada en el periódico *O Estado de S. Paulo*, el 28 de diciembre de 1995: "La Interpol debe investigar a la Universal", dice Tuma.

Las difamaciones fueron desenmascaradas, poco a poco. La principal de ellas se convirtió en una vergüenza. La prueba de la manipulación. El video emitido por Globo mostró billetes de un dólar, donados como ofrenda, como si fuesen billetes de cien dólares. El polémico programa "25ª Hora", de Record, llevó peritos que comprobaron los montajes en la edición del video.

Rede Globo fue obligada a reconocer su error a nivel nacional.

Vergonzoso.

La adulteración de la información y las exageraciones maquiavélicas del caso provocaron protestas en otros medios de comunicación.

Decidí que era momento de defenderme. Estábamos cansados de tantos golpes bajos. Señalé a "25ª Hora" una secuencia de reportajes y debates contando a la población brasileña la verdadera historia de Globo y su podredumbre. Con apenas algunas semanas en el aire, no dejaban de surgir nuevas denuncias. Grabaciones telefónicas, videos de directivos, documentos. La audiencia aumentó. Llegamos a tener dos dígitos de audiencia en plena madrugada.

Más recientemente, en 2009, Rede Globo volvió a atacar a la Universal y a mí repitiendo la misma estrategia, recalentando las mismas acusaciones de siempre. Desperté de madrugada, en Portugal, cuando pensé en cómo mostrar a Brasil la verdad sobre esa emisora. Surgió, entonces, la histórica edición del periódico *Folha Universal*, del 26 de septiembre de 2009, enteramente dedicada a denunciar los daños causados por la emisora carioca al país.

La edición especial, "Cómo la familia Marinho destruye a Brasil", entre otros asuntos polémicos, reveló la oscura historia de la organización y sus vínculos con la Dictadura Militar, la asociación al escándalo *Time Life*, el silencio en el movimiento "Diretas-Já", préstamos sospechosos de dinero público, falsificación de documentos en la compra de su sede en São Paulo e incluso la ocupación irregular de terrenos públicos. En la portada, sobresaliente, la foto de perfil de los tres hermanos herederos, los actuales propietarios.

El periódico circuló con una edición especial de 3.500.000 ejemplares en una sola semana. Fue distribuido, uno a uno, en todos los gabinetes del Poder Ejecutivo, Legislativo y

Judicial —y, curiosamente, la mayoría de las veces, fue muy bien aceptado—.

Aún en 1995, grabé un programa de radio con un mensaje específico sobre el doloroso momento que vivimos. Seleccioné un extracto de mi desahogo, que sigue retratando lo que siento hoy:

"Las imágenes mostradas maliciosamente por Rede Globo tienen como objetivo denigrar la imagen de la Iglesia Universal.

Solo que la Iglesia Universal nunca se sintió intimidada. Nunca nos intimidamos con los Goliat armados frente a nosotros, porque Dios está con nosotros. Y si Dios está a favor de nosotros, ¿quién vendrá en contra nuestra? Si Dios está con nosotros, ¿quién será nuestro adversario, nuestro enemigo?

El diablo está intentando destruir a la Iglesia Universal, a la familia de Dios, sellada por Dios, instituida por el Espíritu de Dios. ¿Quién podrá destruirla?

Quienes lo intentan no están luchando contra un hombre, contra el obispo Macedo, contra los pastores. Están luchando contra Dios.

La Universal no nació de un hombre. Nació de Dios. El pueblo sigue al Señor Jesús, no a los pastores, no a mí.

Yo pregunto: hasta hoy, ¿qué le dio a usted Rede Globo? ¿Cuál es el beneficio que le proporcionó? ¿Y la Iglesia Universal? ¿Qué beneficio trajo a su vida? Compare y respóndase a usted mismo.

Yo le propongo un desafío a usted que no es de la Iglesia Universal: deje Rede Globo de lado, frecuente durante un mes la Iglesia Universal y vea lo que Dios hará en su vida".

En febrero de 2013, un artículo pertinente produjo un abordaje más amplio, con argumentos reflexivos, sobre el escenario bélico provocado por Rede Globo. Abajo, algunos extractos de ese análisis:

Periódico *Em Tempo*
Edir Macedo, el hombre que transformó Brasil
"El hombre de mayor influencia (que está lejos de acabarse) en Brasil, en la segunda mitad del siglo 20, fue Edir Macedo. En pocas décadas el país dejó de ser abrumadoramente católico y los llamados evangélicos tienden a la mayoría. En el torrente de la Universal otras apenas son olas. [...]

Simplificándolo, de un lado la Iglesia católica creó un vacío con la defensa de tesis que no prosperaron, como la prohibición del divorcio, de la píldora de emergencia, sexo solo para procrear, etc. [...] Vicente Celestino celebró la iglesia con la canción 'Porta Abierta', raro hoy en día, mientras que a cualquier hora siempre hay un llamado obrero para escuchar a un afligido. [...]

Comprensiblemente los abordajes sobre el Sr. Edir Macedo son apasionados (a favor o en contra, obviamente), pero por haber alterado radicalmente la cara religiosa del país, de forma amplia, merece un estudio histórico sereno para comprender mejor al pueblo brasileño. El proceso de transformación proseguirá probablemente por otras dos o tres décadas. ¿Por qué el diezmo se volvió tan importante? Respetando a quienes creen en la Santísima Trinidad, ¿por qué se concentró el culto en Jesús? Las respuestas deben ser sociológicas y no teológicas. [...]

La fuerza desencadenada por el Sr. Edir Macedo se comprueba con Rede Globo inaugurando el *Festival Promessa* [Festival Promesa], de música *gospel*, en el 2012, con artistas del grupo fonográfico de la emisora".

Hay dos puntos y una pregunta que deben considerarse después de los hechos enumerados.

Opté en usar solamente el año de 1995 como un período simbólico para demostrar el esfuerzo de manipulación para hacer que yo y la Iglesia Universal desapareciéramos. El objetivo, sin medias palabras, era la aniquilación. El segundo hecho relevante es comprender que la audiencia de esa emisora, en aquel tiempo, era casi absoluta y llegaba al 95% de los hogares brasileños en ciertos horarios. Es decir, sin exagerar, fuimos atacados cruelmente por un arma de destrucción masiva.

La pregunta es simple y directa: ¿quién sobreviviría a una masacre de ese tamaño? ¿Qué hombre o institución resistiría a una ola tan grande y violenta de ataques?

Las cicatrices están aquí. Expuestas.

Casi 20 años después, no obstante, existe alegría en mi interior. No por haber sobrevivido, sino por la certeza de que las palabras de Dios se van a cumplir: "Bienaventurados serán ustedes cuando por mi causa los insulten y persigan, y mientan y digan contra ustedes toda clase de mal. Gócense y alégrense, porque en los cielos ya tienen ustedes un gran galardón; pues así persiguieron a los profetas que vivieron antes que ustedes" (Mateo 5:11 y 12).

Comparto esa alegría con todo el pueblo de la Iglesia Universal que, junto conmigo, sufrió con cada escarnio, cada humillación, cada agresión injusta y, aun así, permanece inquebrantable en el camino de la fe.

La recompensa en el cielo es real.

DUEÑO DE LA RAZÓN

Hoy, mucho tiempo después, es imposible no meditar en lo que pasé sin realizar un balance racional de los acontecimientos y un autoanálisis a la luz de nuestra creencia. Los episodios de 1992, 1995 y los demás períodos de nuestra penosa travesía dejaron aprendizajes de extrema importancia.

El mayor de ellos, tal vez, fue entender más a fondo que no somos nada sin Dios, como meditaremos mejor en el próximo capítulo. Otra lección fue encontrar fuerzas, donde no había, para orar por cada uno de quienes intentaron perjudicarnos. Lo confieso: no fue una misión fácil, pero pedí a Dios por cada uno, indistintamente.

Infelizmente, los personajes de aquellos años de plomo tuvieron destinos desiguales.

Fernando Collor de Mello fue destituido de la Presidencia de la República por una acusación.

PC Farias apareció muerto con su amante en su casa de playa en Alagoas.

El empresario José Carlos Martinez murió en un accidente de avión.

Leopoldo Collor murió víctima de cáncer en el cuello.

El juez João Carlos da Rocha Mattos fue condenado por vender sentencias, estuvo ocho años en prisión y perdió su cargo.

El autor Dias Gomes perdió la vida en un trágico accidente automovilístico.

El exdiputado Afanásio Jazadi cayó en el olvido. En su última candidatura, en 2008, no logró ni siquiera ser elegido para concejal en São Paulo. Sus intentos de volver a la televisión fracasaron.

El exsenador Romeu Tuma falleció víctima de un fallo multiorgánico.

El exreverendo Caio Fábio estuvo envuelto en escándalos políticos y fue expulsado de su iglesia al reconocer una relación extraconyugal con su secretaria.

El *Jornal do Brasil* quebró y solo existe en Internet.

TV Manchete también quebró y desapareció.

TV Globo enfrenta caídas sucesivas en las últimas décadas y vive actualmente el peor nivel de audiencia de su historia.

MI MAYOR FUERZA

Revivir el pasado infausto lastima. No guardo resentimiento hacia alguna persona o institución, pero tengo vivas las memorias de un tiempo muy sufrido. Miro hacia adelante, como siempre expreso. Pero las lecciones se quedaron. Y me hacen cargar una responsabilidad aún mayor actualmente.

La Iglesia Universal avanzó como nunca. Tenemos millones de vidas, en la mayoría de los países de todo el planeta, bajo nuestra dirección espiritual. Comandamos uno de los mayores grupos de comunicación del país y del mundo para luchar por una sociedad mejor, más justa, menos monopolizada. Por la extinción de un Brasil que ya no queremos.

Dependo de Dios para todo. Él estuvo conmigo en los momentos más solitarios y angustiantes, aunque no lo merecía. Cada mañana, reconozco que no soy digno siquiera de levantar mi rostro hacia Dios. ¿Quién es el pueblo de la Iglesia Universal y quién soy yo para suplicar auxilio? Somos menos que la nada. Pero somos movidos por una sinceridad real y profunda, una fe que nos hace abrir nuestro pecho para alcanzar lo imposible.

Cuando pensamos que es el fin, Dios aparece para rescatarnos. En situaciones mayores o menores, en un mundo propio, frente a un universo de desafíos, alguien puede encontrarse acorralado en este momento. Es su oportunidad. Es necesario dirigir su mirada hacia Dios. Él está preparado para oírle en este instante, esperando ansiosamente.

Yo sobreviví. Usted sobrevivirá.

Nuestra vida y la Universal están así: dependiendo completamente de Dios. Consolidamos un sólido proyecto de credibilidad en Brasil y en el mundo, pero hay mucho por hacer. Innumerables personas perdidas aún esperan que les extendamos las manos.

Yo recuerdo, meses atrás, cuando pedí a los obispos de África que esparcieran el Evangelio entre los pueblos aislados en el interior del continente. La respuesta positiva fue inmediata. Las escenas de la incursión misionera tocaron mi interior y probaron que aún existe un contingente sin fin de sedientos de Dios.

Los habitantes de la aldea Mumuila, nativos de las comunidades del desierto, fueron unos de los primeros en aceptarnos. Ellos viven en tribus alejadas de todo, a lo largo de uno de los desiertos más áridos del mundo, en el sur de Angola. La región padece con falta de comida, agua y condiciones mínimas de sobrevivencia. Muchos niños cambian su infancia forzados a trabajar debido a la miseria.

En las últimas décadas, decenas de misioneros intentaron y nunca lograron aproximarse a esa tribu. Siempre eran rechazados por la comunidad local, pero la Universal fue aceptada. La iglesia es a cielo abierto. Las bancas de madera, hechas con árboles cortados del bosque, fueron producidos por los miembros de la misma tribu. Hoy, faltan lugares para que los mumuilas participen en las reuniones tres veces por semana.

Al ver las imágenes de nuestros pastores en esas aldeas pobres y distantes, lloré. Aquella gente harapienta y humilde es más rica que muchos nobles de ciudades grandes por un solo motivo: inmersos en tanto sufrimiento, en un abrir y cerrar de ojos, se rinden al Señor Jesús e inmediatamente conquistan el bien más valioso del ser humano.

Esa es la misión de la Universal. El mismo Espíritu de la exfuneraria está presente, en los días actuales, en las aldeas primitivas de África.

Escenas como las de los habitantes del desierto buscando a Dios en una iglesia improvisada, sin butacas, sin sonido con micrófono, sin aire acondicionado o incluso sin tejado, me llenan de temor. Eso nos obliga a valorar aquel templo confortable, cercano a pocas cuadras de donde vivimos, o aquella iglesita pequeña, sencilla, casi sin recursos, pero con un altar accesible para acoger a los perdidos.

Eso nos hace reflexionar sobre el valor de la Iglesia en nuestro día a día. Una población entera, también en un país africano, vivió, por un breve período, la dramática experiencia de ver cerradas las puertas de la Universal. Imagínese despertar un día y ya no encontrar esa iglesia cerca de su casa. ¿Lo imaginó alguna vez? ¿Cómo sería buscar la Casa de Dios y no encontrarla? ¿Dónde buscar la renovación de la fe? ¿Dónde encontrar el confort para enfrentar la dura rutina? ¿Dónde ejercitar su creencia para no debilitarse en el camino a la salvación?

Esta es la razón principal por la que Dios ha protegido a la Iglesia Universal y a mí: nuestra obsesión es saciar el apetito de los hambrientos de la Palabra de Dios.

Pronto cumpliré 70 años. Yo tendría derecho a jubilarme y descansar, finalmente, mis fuerzas físicas ya no son las mismas de cuando era joven. Podría tener una casa, a la orilla de un lago, con un barco para pescar. O vivir en lo alto de una colina con árboles y animales alrededor. Podría pasar mis últimos años de vida apenas viajando con Ester, disfrutando la fase más feliz de nuestro matrimonio.

Pero no, lo que hacemos es exactamente lo contrario. Justamente ahora, a esta edad, cargamos una mayor cantidad de compromisos espirituales. Paso los días predicando en la Iglesia o instruyendo a nuestros pastores y obispos por todo el planeta. Y será así hasta mi último suspiro de vida.

¿Por qué? No tengo nada. Mi vida está en el altar.

Si muero hoy, todos mis bienes personales serán automáticamente donados a la Iglesia. Ya firmé mi testamento en Estados Unidos. Mis hijos no heredarán nada. Absolutamente nada. Solamente la fe que conduce a una alianza con Dios.

Un sueño espiritual que medité, poco antes de escribir este libro, explica mejor mi idealismo. Entendí que moría y los ángeles de Dios me conducían al lado del Señor Jesús. Entonces, Él me dijo:

—Podrías haber hecho más. Podrías haber ganado más almas.

Esa visión siempre me incomoda.

Mientras esté vivo, me entregaré al máximo por esa convicción. Hacer lo necesario para arrancar gente del infierno. El desafío, reconozco, es difícil. La mayoría olvida que, temprano o tarde, sin derecho a llevar nada, irá directo al cementerio. Restará apenas el alma. ¿Y a dónde irá? Eso me hace retorcer de dolor.

En la última visita a la construcción del Templo de Salomón, en marzo de 2013, con la mitad de las obras concluidas, puse mis pies por primera vez en el altar de nuestro futuro templo. Observé cómo será la visión desde aquel suelo consagrado.

Caminé lentamente de un lado a otro. Me mantuve en silencio durante algunos minutos.

Me vi a mí mismo en el quiosco. Me vi en el primer culto en la antes funeraria.

Me vi joven, buscando a mi Señor con el alma sedienta.

Me vi solito, luchando contra mí mismo en busca del Espíritu Santo. Las horas de clamor para encontrar al Dios de mi vida.

Me vi guerreando contra el derrotismo de los oficiales evangélicos. El voto de confianza de mi madre, la fiadora de la primera Universal.

Me vi en el Maracaná frente a 200.000 personas. Las iglesias multiplicándose.

Me vi en la masacre del torbellino de ataques corrosivos y crueles. Los insultos. Las ironías. La deshonra.

Me vi yendo en contra de mi voluntad para entregar todo en sacrificio.

Vi al mismo Dios. Un hombre no puede hacer eso.

Mi insignificancia.

Las obras del Templo de Salomón hacen mi fe latir más fuerte. Cada torre, cada pilastra, cada ladrillo, cada piedra representa santidad. Un lugar lleno de grandeza, que estará abierto a todos los pueblos, de todas las religiones. Es como una gestación santa: ya puedo ver el Templo naciendo para la gloria de Dios. La cuenta atrás está llegando al fin.

Es una construcción inigualable, sin precedente en ninguna parte del planeta. Derramamos sudor y lágrimas para levantar ese edificio sagrado. Millones en recursos para atender millares de personas venidas de todas las partes del mundo. Una realización histórica.

Pero contemplar el Templo de Salomón, inaugurado con todo su esplendor y majestad, no me alegrará más que el momento en el que, ahí adentro, alguien, una única persona, tenga un encuentro verdadero con el Dios del que hablo hace 45 años.

Mi mayor sueño se habrá vuelto realidad. Vidas entregadas en el altar.

La salvación de las almas.

"NO SALDRÁ VICTORIOSA NINGUNA ARMA
QUE SE FORJE CONTRA TI [...]."

(ISAÍAS 54:17)

NOTAS

1 Una traducción literal sería: "niñera", pero la palabra "babá" en este caso es una expresión coloquial para referirse a una "babalorixá". [N. de la T.]

2 El término "babalorixá" se refiere al título otorgado a un líder y jefe sacerdote (o sacerdotisa) de la secta Candomblé. [N. de la T.]

3 Grosso modo, el Candomblé es una secta que rinde culto a los espíritus. [N. de la T.]

4 "Dios, Tú sabes cuánto sufren estas personas, cuánto han gemido y padecido. Son personas que han andado de un lado a otro. Sus pies ya están lastimados. / Hay también quienes cuya garganta no puede llamarte o suplicar por socorro. Lo único que se escucha es un gemido, pues ya pidieron tanto. Ahora, lo único que se oye son susurros. / Mi Dios, no dejes de oírnos en este momento. Pues Tu palabra garantiza que todo cuanto pedimos a Ti, en el nombre del Señor Jesucristo, nosotros lo recibiremos. / Tu Palabra afirma que el Señor tiene placer en atendernos. Señor, Tú tienes placer en atendernos, y nosotros tenemos fe de pedir". [N. de la T.]

5 Una traducción sería: "Viven sin un centavo y sin orilla", aunque no rima en español. Este dicho popular se utiliza para referirse a una persona que no tiene nada. [N. de la T.]

6 Una traducción literal sería: "¡Estamos en la boca de la basura!". Se utiliza para señalar que aquel era un lugar deplorable. [N. de la T.]

7 "Guía" es un collar de colores que el médium utiliza en los trabajos de Umbanda y hace parte de su uniforme. Por otro lado, "figa" es un amuleto representado por una mano cerrada en forma de puño con el dedo pulgar entre el índice y el mayor; creían que al usarlo serían protegidos de envidias, mal de ojo y malos augurios. [N. de la T.]

8 Una traducción literal sería: "golpear cabeza". Sin embargo, dicho término aquí se refiere al acto realizado por los practicantes del Umbanda, en señal de respeto a los orixás (espíritus), donde subordinan su cabeza al poder de los espíritus. [N. de la T.]

9 El Día de Cosme y Damián es una celebración católica llevada a cabo los días 26 o 27 de septiembre. [N. de la T.]

10 El "Palácio do Planalto" es el edificio donde se ubican las oficinas del presidente de Brasil. [N. de la T.]

11 "Mãe de santo" en el Candomblé, Umbanda y otras sectas espiritualistas, es el título dado a la mujer encargada de la dirección espiritual y de la administración del lugar donde se efectúan ritos concernientes a sus creencias. [N. de la T.]

12 "Casa da Dinda" es el nombre de la mansión donde residió la familia Collor de Melo, a su paso por la presidencia de Brasil. [N. de la T.]